하나님의 대사 2

# 하나님의 대사 <sub>大使</sub> 2

김하중 지음

규장

내가 말하였은즉 반드시 이룰 것이요
계획하였은즉 반드시 시행하리라

이사야서 46장 11절

# 응답하시는 하나님을 만나는 삶

### 놀라운 하나님의 역사

《하나님의 대사》 1권이 출간된 지 꼭 1년이 되었다. 처음 책을 쓸 때 나는 몇 가지 기도를 했다. 누구든지 이 책을 손에 잡으면 다 읽을 때까지 놓지 않도록 해주시고, 책을 읽으면서 회개의 눈물을 흘리도록 해주시고, 읽고 난 다음에는 다시 기도를 시작하도록 해주시고, 자신의 유익을 구하는 혼(魂)의 기도만이 아닌 영(靈)의 기도도 하게 해달라는 것이었다. 책이 나오자마자 수많은 독자들이 내게 보낸 메일을 보면서 나의 기도가 모두 응답된 것을 알 수 있었다. 그리고 내 주위에서 놀라운 일들이 일어나기 시작했다.

책을 출간할 당시 87세이신 처고모부가 계셨다. 일제 강점기에 와세다대학을 다니신 지식인이었지만 하나님은 모르시는 분이셨다. 모르실 뿐만 아니라 불교 신자로 불경을 붓글씨로 쓰고, 불화를 그려서 표구해서 나누어주는 것이 취미인 분이셨다. 삼 남매 중 두 딸이 예수님을 믿는 집으로 시집을 갔다. 종교가 달랐지만 딸은 출가외인이라 생각하고 크게 신경을 쓰지 않았다. 그런데 하나뿐인 아들이 예수님을 독실하게 믿는 가정의 딸과 결혼하겠다고 하니 반대를 하다가 절대 교회는 가지 않겠다는 맹세를 받고 허락했다. 그런데 그것이 맹세했다고 될 일인가! 어느 날 아들과 며느리가 몰래 교회에 다니다가 부모에게 들켰다. 그 충격으로 처고모와 고모부는 함께 바다에 빠져 죽을 생각까지 했다고 한다. 두 분이 어찌나 완고한지 딸들이 감히 전도할 생각도 못했다.

그러던 중 내가 2010년 초에 《하나님의 대사》를 그 분들께 선물했다. 그런데 놀랍게도 처고모부가 책을 다 보시고는 내게 말씀하셨다.

"하나님을 믿는 것이 이렇다면 나도 믿어볼까?"

그러고는 예수님을 영접하셨다. 이후 날마다 성경을 읽으시면서 모르는 것은 자녀에게 묻기도 하고, 성경 사전을 찾아 가면서 사도행전에 나오는 베뢰아 사람들처럼 말씀을 상고(詳考)하신다. 누가 시키지 않았는데도 새벽마다 성경을 붓글씨로 써서 벽에 붙이신다. 한번은 댁을 방문했더니 B5 용지 크기의 종이에 잔붓글씨로 성경 구절을 써서 거실과 안방 벽에 빼곡히 붙여놓은 것을 보았다. 할렐루야! 물론 이렇게 된 데에는 세 자녀의 눈물어린 기도와 수많은 사람들의 중보기도가 있었다. 그들의 기도가 쌓이고 쌓여서 처고모부가 책을 보게 되셨고, 87년간의 긴 방황을 끝내고 마침내 하나님께 돌아오게 된 것이다.

독자들 가운데 박해천 집사(주님의교회)는 내 책을 읽고 경험한 놀라운 일을 메일로 보내왔다.

"2010년 5월 3일, 모처럼 한가한 날이어서 일찍 퇴근해서 집에서 쉬기로 했습니다. 그런데 이상하게도 아침에 출근 준비를 하는데 책장에 꽂혀 있는 책들 중에서 이미 한 번 읽었던《하나님의 대사》가 자꾸 눈에 들어왔습니다. 오후에 집에 돌아와서도 계속 눈에 밟혀서 다시 한 번 읽어보기로 했습니다.

쭉 읽어가다가 대사님이 박정미 집사님과 통화 중에 방언을 시작하게 되신 내용을 읽으면서, '이 분은 통화 중에 방언을 시작했는데, 나도 할 수 있지 않을까?' 하는 생각이 들었습니다. 그래서 바로 방에 들어가 성령님의 도움으로 회개 기도와 방언을 할 수 있게 해달라고 기도했습니다.

기도하는데 무엇인가가 가슴을 울리게 하더니, 대성통곡이 나오면서 성령님께서 깊은 회개로 이끄시는 느낌이 들었습니다. 기존에 머리로만 하던 회개와 달리 성령님의 온전한 도우심으로 가슴으로 하는 회개가 나오면서, 혀끝이 안쪽으로 말리고 턱이 저절로 움직이며 '꺽 꺽' 하는 소리만 나왔습니다.

잠시 후 머릿속이 멍해지면서 하나님과의 대화 채널이 열리는 듯한 느낌이 들었습니다. 그 순간을 놓치지 않고 그동안 기도해오던 주변의 아픈 사람들을 치유해달라고 간구했습니다. 그리고 눈물을 흘리면서 짧게나마 깊은 대화를 나눌 수 있는 귀중한 기회를 주신 성령 하나님께 감사를 드렸습니다."

## 책을 통해 부으신 축복

나는 지난 1년 동안 독자들로부터 4천 통이 넘는 이메일을 받았다. 한 달 평균 400통가량 받은 셈이다. 처음에는 하루 네다섯 통에 불과해서 답장을 했는데, 시간이 지나자 매일 10여 통의 메일이 쏟아져 들어왔다. 아무리 노력해도 모든 메일에 답하는 것이 불가능해서 이후 답장 쓰기를 포기했다. 동시에 집회 요청도 쇄도하여, 지금까지 500건이 넘는 요청이 들어왔다. 처음에는 기도한 다음에 가보려고 했지만, 도저히 감당할 수가 없어서 그것도 포기했다. 그래도 지금까지 수십 차례 집회에 참석해 간증했다.

책이 나오고 나서 출판사에서 홍보를 위해 언론이나 방송 인터뷰에 응해달라고 요청했다. 그렇지만 나는 책이 팔리는 것은 하나님이 축복하셔야 되는 것이지 내가 노력해서 되는 것은 아니라는 생각에 거절했다. 그래서 지금까지 단 한 번도 신문이나 잡지, 방송 인터뷰에 응한 적이 없다.

나는 출판사에 신문 광고도 하지 말아달라고 요청했다. 그러나 기독교 관련 신문에까지 광고를 하지 않는 것은 곤란하다고 하여 《국민일보》에 내는 것은 양해하였으나, 일반 일간지 광고는 하지 말아달라고 부탁했다. 그럼에도 불구하고 《하나님의 대사》 1권은 출간 1년 만에 25만 부를 돌파했다. 모두 하나님의 은혜이다. 그러면서 수많은 독자들로부터 2권을 출간해달라는 요청이 있었고, 이에 부응하기 위해 이번에 출간을 결심했다.

이 책은 나에 대한 하나님의 뜻과 인도하심의 이야기로 시작해서 내가 주중대사로 근무하는 동안 경험했던 하나님의 살아 계심과 역사하심에 대한 것이다. 물론 이 책에 수록된 것들은 내가 경험한 수많은 일화의 일부분에 불과하다. 그중 하나님께서 사랑하시는 사람들의 이야기, 베이징에서 사역하신 다섯 분의 목사님들과 관련된 일화와 아내의 간증을 실었다. 마지막으로 독자들이 보낸 메일을 중심으로 기도를 어떻게 해야 좋을지 몰라 방황하는 이들에게 참고가 되기를 바라며 기도에 대한 내 나름대로의 생각을 정리해보았다.

나는 1권과 마찬가지로 독자들이 저자와 같은 마음으로 이 책을 읽어주기를 바라며, 기도하는 마음으로 글을 썼다. 그리고 하나님께서 이 책을 읽는 독자들 개개인의 마음을 만져주셔서 나에게 일어났던 놀라운 일들이 독자들에게도 일어나기를 기도한다.

2011년 1월 9일 64회 생일 아침에

프롤로그

# 차 례

## CHAPTER 3 하나님께서 사랑하시는 사람들

Ambassador Of God

# 하나님의 뜻과
# 인도하심

나에게는 오직 하나님 한 분만 계셨다.
**그래서 나는 누구도 의지하지 않고 하나님만 의지하려 했다.**

・
・
・

# 크리스천이라면 누구나

자기를 향한 하나님의 뜻이 무엇인지를 정확히 알고 싶어 하지만 그
답을 찾기란 쉽지 않다. 나도 그랬다. 예순이 넘어서야 하나님의 뜻을
어렴풋이 알게 되었지만 그것도 그림을 보듯 명확하지 않아서 늘 답
답한 마음이었다. 그럴 때마다 하나님께서는 중보기도자들을 통해 다
양한 방법으로 그분의 뜻을 확인시켜주셨다.

여호와의 말씀이 내게 임하니라 이르시되 내가 너를 모태에 짓기 전
에 너를 알았고 네가 배에서 나오기 전에 너를 성별하였고 너를 여러
나라의 선지자로 세웠노라 하시기로 렘 1:4,5

세 가지 꿈과 중국 그리고 통일

2008년 11월 중순이었다. 당시 통일부 장관이던 나는 미국에서 온 세계적인 성령사역자와 함께 저녁 식사를 할 기회가 있었다. 차가 밀려 약속 장소인 잠실에 조금 늦게 도착했다. 그곳에는 이미 그 성령사역자 내외와 다른 미국인 목사님 몇 분과 한국인 목사님들이 기다리고 계셨다.

서로 인사하고 자리에 앉자마자 그 성령사역자가 내게 말했다.

"하나님은 예레미야서 1장 말씀처럼 당신을 짓기 전부터 알고 계셨습니다. 하나님은 당신이 어머니 배 속에 있을 때부터 한국의 통일과 깊은 연관이 있다는 것을 알고 계셨습니다. 하나님은 당신에게 놀라운 축복을 주셨으며 초자연적으로 보호해주셨습니다. 그래서 지금까지 어려운 환경 속에서도 당신이 화평을 누릴 수 있었습니다. 특히 하나님은 당신에게 중국에 관한 특별한 은총을 주셨습니다. 혹시 중국에 가본 적이 있으십니까?"

내가 웃으면서 대답했다.

"저는 장관이 되기 전까지 외교관이었습니다. 중국에서 9년 반을 살았고, 얼마 전까지 주중대사로 6년 반 동안 일했습니다."

"아, 그랬었군요! 정치인이 아니셨군요. 당신이 오기 전에 당신의 이름을 들었을 때부터 내 머릿속에 온통 중국과 통일에 관한 생각뿐이어서 왜일까 했는데, 말씀을 들으니 이해가 됩니다. 당신의 인생은 반이 중국, 반이 한국의 통일과 연관되어 있습니다."

그날 저녁 나는 집으로 돌아오면서 비로소 내 인생을 향한 하나님의 뜻과 인도하심을 명확히 깨닫게 되었고, 다시 한 번 하나님이 인도하시는 내 길에 대한 확신을 가지게 되었다.

하나님께서 계획하신 내 인생은 중국과 통일에 연관된 것이었다. 그래서 하나님께서는 나에게 세 가지 꿈을 품게 하셔서 중국 전문가로 만들어 주중대사를 시키시고 또 북한에 관한 문제에 관여하게 하셔서 통일부 장관까지 하도록 만드셨다. 지금까지의 내 인생은 전부 그것을 위한 여정이었던 것이다.

나에게는 세 가지 꿈이 있었다. 그 꿈들 중 첫 번째가 외교관이 되는 것이었다. 나는 어렸을 때부터 외교관이 되고 싶었다. 그 꿈을 가진 때가 1950년대 말, 초등학교를 졸업할 즈음이었다. 친한 친구들끼리 서로 장래 희망을 노트에 적어서 교환하곤 했는데, 나는 항상 외교관이 되겠다고 썼다.

중학교에 입학해서는 《삼국지》《서유기》《열국지》《초한지》 등을 읽었다. 당시에는 중국에 관한 책이 많지 않았지만 이런 책들을 통해 중국의 역사와 문학을 접하게 되면서, 그곳에 가보고 싶다는 마음이 생겼다.

내가 고등학교 3학년이던 1964년 10월 16일에 중국이 핵 실험에 성공했다. 다음 날 조간신문은 앞으로 중국이 강대국이 될 것이라는 기사로 뒤덮였다. 이 사건은 그동안 막연히 외교관이 되고 싶다는 생각을 가지고 있던 내게 중국에 가서 근무하고 싶다는 구체적인 꿈을 꾸게 하는 계기가 되었다.

'외교관이 되어 중국에 가면 좋지 않을까?'

그리고 이듬해인 1965년에 서울대학교 중국문학과에 입학함으로 꿈을 향한 첫걸음을 내딛었다.

이런 나의 결정을 가족과 친척은 물론이고 친구들도 매우 의아하게 받아들였다. 당시만 해도 중국은 공산국가로서 '중공'(中共)이라고 불리며 우리나라와 적대적인 관계에 있었다. 또한 문화대혁명(文化大革命, 1966년부터 10년 동안 중국의 최고 지도자 마오쩌둥에 의해 주도된 극좌 사회주의운동)이 일어나기 직전이어서 중국 내 상황이 매우 혼란스러운 때였다. 그리고 현실적으로 중문과를 나와서 취직할 곳도 마땅치 않았다. 그러니 당시 내 주변 사람들의 반응은 당연한 것이었는지도 모른다.

나는 그들에게 '나의 선택은 앞으로 20년이나 30년 정도 지나서 한국과 중국이 관계를 개선하거나 수교할 때를 대비한 것'이라고 설명했지만, 그들은 여전히 이해가 안 된다는 표정이었다. 그렇지만 나는 "황허(黃河)의 물이 10년은 동쪽으로 흘렀다가 다시 10년이 지나면 서쪽으로 흐른다"(十年河東 十年河西)라는 말처럼 시간이 지나면 한중 관계에도 틀림없이 변화가 있으리라고 확신했다.

나는 1969년에 대학을 졸업하고, ROTC(학군단) 소위로 임관되어 3개월간의 훈련을 거쳐 전방에 배치되었다. 2년여의 군 복무를 마치고 1972년, 서울대학교 행정대학원에 입학하여 공부하면서 틈틈이 외무고시를 준비했다. 그리고 이듬해 외무고시에 합격함으로 드디어 나의 첫 번째 꿈이 이루어졌다.

한중 수교를 향한 집념

1973년 외무부(현 외교통상부)에 들어간 첫날부터 나는 두 번째 꿈인 한중 수교를 생각했다. 그리고 1974년 동북아2과(현재 중국과)에 근무하면서, 얼마 안 되는 봉급에도 불구하고 화교(華僑) 출신 대학생으로부터 중국어를 배우기 시작했다.

그 후 주뉴욕총영사관(1976~1978)과 주인도대사관(1982~1985) 근무를 거치면서도 내 관심은 오직 한중 수교에 있었다.

1985년 8월 말에 인도에서 돌아와 당시 이원경 외무부 장관 보좌관으로 근무하게 되었다. 이 장관님은 외무부 역사상 가장 훌륭한 장관 중 한 분이었다.

장관실에서 근무한 지 얼마 안 되어 장관께서 내게 말했다.

"지금 우리 외교에 있어서 가장 중요한 것이 미국과의 외교인데, 김 보좌관이 뉴욕에서 근무를 했고 또 북미과에서도 두 번이나 근무했으니 적절한 시점에 북미과장을 하게."

그때 나는 감히 장관께 말씀드렸다.

"장관님, 죄송하지만 저는 북미과장보다 중국을 관장하는 동북아2과장을 하고 싶습니다."

"아니, 중국과는 수교도 안 되어 있는데 무슨 소리인가? 아무 일도 없는 동북아2과장보다는 북미과장을 해야지."

"저는 앞으로 한중 수교에 꼭 참여하고 싶습니다. 이번에 만약 북미과장이 되면 그 기회를 잃게 될까 봐 걱정이 됩니다. 저를 동북아2과장을 시켜주십시오."

장관님은 내 뜻이 확고함을 아시고 1986년에 동북아2과장으로 발령을 냈다. 나는 거기서 1년간 근무한 후 다시 의전과장으로 자리를 옮겨 1년 남짓 일했다.

1988년 봄이었다. 당시 최광수 장관님이 나를 불렀다.

"그동안 김 과장이 본부에서 고생한 공로를 인정해서 가을에 주미 대사관에 참사관으로 보낼 테니 그리 아세요."

공무원 사회에서 장관이 과장을 직접 불러서 이런 말을 한다는 것은 극히 이례적인 일이었다. 그러나 나는 이 제안을 또 고사할 수밖에 없었다.

"장관님, 정말 감사합니다. 그렇지만 저는 주미대사관에 가고 싶지 않습니다."

"아니, 왜요?"

"한국과 중국이 수교하는 데 참여하는 것이 제 꿈입니다. 그런데 제가 미국에서 근무하게 되면 제 오랜 꿈에서 멀어지게 됩니다. 외람되지만 저는 주미대사관에 가고 싶지 않습니다."

"그럼 어디로 가고 싶어요?"

"중국에 가고 싶지만 현재로선 불가능하니 중국과 가장 가까운 일본에 가서 중국과의 관계 개선을 기다리겠습니다. 그러다 언제라도 기회가 오면 가서 한중 관계 개선의 돌파구를 열고 싶습니다."

"그래도 장관이 이야기하는데 성급하게 대답하지 말고, 사흘 정도 생각한 다음에 다시 오세요."

사흘 후 나는 다시 장관실로 갔다.

"생각해봤나요?"

"네."

"어떻게 하기로 했어요?"

"정말 죄송합니다만 저는 일본에 가고 싶습니다. 주일대사관에 보내주십시오."

내 말을 들은 장관께서 웃으며 말씀하셨다.

"나도 그동안 생각해봤는데, 김 과장의 생각이 옳을지도 모르겠어요. 그럼 주일대사관으로 가세요."

얼마 후 인사 담당 책임자가 나를 보자고 했다.

"외교관으로서 주미대사관 참사관이 어떤 자리인지 모르십니까? 지금 수많은 사람들이 그 자리에 가려고 별의별 노력을 다하고 있는데, 장관께서 보내주시겠다고 하는 것을 왜 안 가겠다고 하십니까?"

"물론 지금 말씀하신 것을 잘 알고 있습니다만 제게는 주미대사관 참사관이 되는 게 아무런 의미가 없습니다. 제게는 앞으로 한중 수교에 꼭 참여하고 싶은 꿈이 있기 때문입니다. 지금은 제 말이 이해가 안 되시겠지만 앞으로 몇 년이 지나면 아시게 될 겁니다."

훗날 나도 장관을 지냈지만 당시 나는 참으로 겁이 없었다. 지금 다시 그렇게 하라면 과연 할 수 있을까 싶을 정도다. 그만큼 중국에 대한 내 꿈은 확고했다.

나는 한중 수교에 나의 모든 것을 걸었다.

## 일본에서의 운명적인 만남

그렇게 해서 나는 1988년 12월 말에 주일대사관에 참사관으로 부임하여 3년여를 근무했다. 그때 내 일생에 가장 중요한 한 만남을 갖게 되었다.

1991년 1월 말이었다. 나는 이원경 대사님을 수행하여 일본 외무성이 주최하는 일본 주재 외교 사절들을 위한 '눈 축제'(Snow Festival)가 열리는 삿포로(札幌)에 갔다.

다른 나라 외교관들과 함께 행사장으로 이동하는 버스 안에서 나는 우연히 중국 외교관 옆자리에 앉게 되었다. 그는 중후한 인상에 일본어를 매우 유창하게 구사했다. 처음에는 일본어로 서로 얘기를 주고받다가 중간에 내가 중국어로 말하기 시작하자 그가 깜짝 놀라며 어디에서 중국어를 배웠느냐며 반색했다. 나는 오랜 세월 품어온 중국을 향한 꿈과 한중 수교에 대한 포부를 말했다. 그는 내 이야기에 깊은 감동을 받은 것 같았다.

그렇게 가까워진 우리는 삿포로에 있는 동안 계속 옆자리에 앉아서 여러 가지 이야기를 주고받았다. 행사를 마치고 도쿄로 돌아가기 전날, 내가 다시 만날 수 있는지 묻자 그가 말했다.

"지금은 두 나라 간에 수교 관계가 없으니 당분간은 만나기가 어렵겠지만, 앞으로 관계가 개선되면 틀림없이 만날 수 있을 것입니다."

그는 주일 중국대사관 공사였으며, 이름은 탕자쉬안(唐家璇)이었다.

그로부터 1년 후에 나는 일본을 떠나 주베이징 무역대표부(형식적으로는 무역 및 경제 업무를 담당하는 기관이지만 사실상 외교 업무를 수행)로 발령

받아 중국으로 갔다. 하루는 중국 외교부 부장조리(한국의 차관보에 해당)가 나를 찾는다고 했다. 당시 나는 공사였기 때문에 내가 만날 수 있는 상대는 주로 부국장이었으며, 아주 특별한 경우에만 국장을 만날 수 있었다. 따라서 부장조리는 당연히 대사의 상대였다. 그런데 부장조리가 나를 찾는다니 의아한 생각이 들었다.

외교부에 들어가 보니 낯익은 사람이 앉아 있었다. 바로 탕자쉬안이었다. 그가 나를 반갑게 맞으며 말했다.

"내가 삿포로에서 당신에게 말했지요. 앞으로 내가 당신을 많이 도울 겁니다. 어려울 때는 언제든지 내게 이야기하십시오."

그 후 그는 나에게 정말 많은 도움을 주었다. 1997년 2월에 '황장엽 사건'이 일어나 내가 혼자 베이징(北京)에 가서 협상할 때 뒤에서 나를 적극 도운 사람이 바로 당시 외교부 부부장(한국의 외무차관에 해당)이던 탕자쉬안이었다. 그리고 내가 주중대사로 부임했을 때, 그는 외교부 장(한국의 외무부 장관에 해당)이 되어 있었다. 탕자쉬안은 나중에 부총리 급인 국무위원이 되었다.

덕분에 나는 중국에 주재하는 170여 명의 대사 중에서 항상 특별한 대접을 받았다. 대사가 어느 나라에 부임하여 그 나라 외교부 장관과 개인적으로 친밀한 관계를 갖게 되면, 그의 활동 범위는 상상할 수 없을 정도로 넓어진다. 어느 조직이든지 조직의 최고 실력자가 중시하는 사람은 아래 사람들도 자연히 중시하기 마련이다. 중국 외교부 장관이 나를 중시하니 다른 간부들이나 직원들도 나에게 특별한 대접을 해주었다.

한번은 이런 일이 있었다. 2005년 11월 17일에서 19일까지 부산에서 개최된 APEC(아시아태평양경제협력기구) 정상회의 참석차 후진타오(胡錦濤) 중국 국가주석이 한국을 방문했다. 그런데 정상회의 일정에 매이다보니 후 주석을 수행해 온 탕자쉬안 국무위원과 이야기할 기회가 없었다. 그래서 나는 행사장에서 탕 국무위원을 만난 틈을 이용해 '바쁘겠지만 점심이나 조찬을 모실 기회를 달라'고 요청했다. 얼마 후 중국 측에서 연락이 왔다. 19일 정상회의 폐막 직후 정상들만의 오찬 시간에 탕 국무위원을 비롯한 장관급 수행원들이 시간을 낼 수 있으니 오찬을 주최해달라는 것이었다.

나는 19일 정오에 부산 파라다이스호텔 한식당에서 그들을 위한 자리를 마련했다. 참석자는 탕 국무위원, 리자오싱(李肇星) 외교부장(현재 전인대 외사위원회 주임위원), 마카이(馬凱) 국가발전개혁위 주임(현재 국무위원, 국무원 비서장), 보시라이(薄熙來) 상무부장(현재 충칭시 당서기)과 상무부 차관, 주한 중국대사, 주부산 중국총영사 등이었다. 대사 혼자 오찬을 주최하는데 중국의 부총리급 국무위원과 세 명의 장관 그리고 차관 및 대사 등이 참석한 것은 매우 이례적인 일이었다.

그리고 나는 당시 반기문 외교통상부 장관(현재 유엔 사무총장)에게 공식 일정이 끝나는 대로 합류하시라고 미리 연락했다. 오찬이 시작되어 식사를 하는 중에 반 장관이 도착했다. 내가 반 장관에게 주인석인 탕 국무위원 맞은편 자리를 권하자 탕 국무위원이 반 장관에게 양해를 구했다.

"여기 있는 우리 모두는 김하중 대사의 친구입니다. 우리는 오늘 한국의 외교통상부 장관이 초청하는 공식적인 자리에 온 것이 아니라 김하중이라는 친구가 초청한 자리에 온 것입니다. 그러니까 김 대사께서 계속 주인 자리에 앉아서 오찬을 진행해주시기 바랍니다."

반 장관도 흔쾌히 동의했다. 우리는 매우 유쾌한 시간을 가졌다. 이때 중국 측 귀빈을 수행했던 양국 의전과 경호 팀 모두가 놀랐다. 주중 한국대사가 초청하는 오찬에 그처럼 많은 중국 귀빈들이 한꺼번에 참석했다는 사실이 믿기지 않는 듯했다. 외교적인 관례로 볼 때 어느 나라에서든지 대사가 초청하는 자리에 장관이 참석하는 것이 흔치 않고, 특히 그 자리에 타 부처 장관이 참석하는 것을 알면 장관들이 참석하지 않는다. 때문에 부총리급인 국무위원과 장관 세 명과 차관이 동시에 참석한다는 것은 개인적인 친분 관계가 없으면 매우 어려운 일이다.

일본에서 탕자쉬안과 운명적인 만남은 하나님께서 나를 위해 예비하신 것이었다. 내가 만일 주미대사관으로 갔다면 나는 탕자쉬안을 만나지 못했을 것이고, 나중에 주중대사가 되었다고 해도 대사로서 나라를 위해 일하는 범위가 훨씬 좁았을 것이다(내가 탕자쉬안과 관계를 통해 업무적으로 어떤 협조를 받았는지에 관해서는 언젠가 밝힐 때가 있을 것으로 믿어 여기서는 생략한다).


두 번째 꿈을 이루다

1992년 2월 초에 나는 주베이징 무역대표부에 부임했다. 원래 무역

대표부에는 1991년 1월 대표부 개설 때부터 정무를 담당하는 참사관이 있었다. 그런데 그가 근무 1년 만에 본부 심의관으로 돌아가게 되어 내가 후임으로 가게 되었다.

베이징에 도착하여 업무를 인수하는데 그가 말했다.

"저는 작년에 무역대표부를 개설하면서 한중 관계의 돌파구를 찾을 수 있을 것으로 기대하고 베이징에 왔습니다. 그런데 지난 1년 동안 별의별 노력을 다했지만 전혀 가능성을 찾을 수가 없었습니다. 제가 볼 때 당분간 한중 관계의 돌파구를 찾기가 어려울 것 같습니다. 그래서 일단 서울로 돌아가기로 했습니다. 서울에서 근무하면서 좀 더 시기를 볼 생각입니다. 김 형도 너무 급하게 생각하지 마시고 인내심을 가지고 기다리는 게 좋을 듯합니다."

나는 그 말을 들으며 생각했다.

'아! 한중 관계를 풀기가 그렇게 어려운가? 내가 중국에 너무 빨리 왔나?'

그러나 그가 떠나고 얼마 지나지 않아 물밑에서 중국과의 대화가 시작되었다. 1992년 4월 중순, 당시 이상옥 외무부 장관의 ESCAP(아시아태평양경제사회위원회) 참석을 계기로 5월부터 양국 간 비밀 교섭이 시작되었다. 나는 양국 간 연락 업무를 담당하는 역할을 하게 되었다.

하루에도 몇 차례씩 중국 외교부 책임자와 극비리에 만나 양국 정부의 입장을 주고받았다. 접촉은 대부분 저녁에 이루어졌고, 어떤 때는 새벽에 이루어지기도 했다. 양측 입장이 어느 정도 조율된 다음 양국 정부는 두 차례 비밀 회담을 가졌다. 회담이 끝난 후 다시 나와 중국 측 책임자와의 비밀 접촉을 통해 교섭이 계속되었다. 당시 국내에서 한중 수교 교섭이 이루어지고 있는 것을 아는 사람은 대통령과 외무부 장관, 외무부 아주국장과 안기부장 등 열 명 내외였다. 그만큼 엄격한 보안을 유지하면서 교섭이 진행되었다.

약 4개월에 걸친 극비 교섭을 통해 1992년 8월 24일, 드디어 한국과 중국은 수교를 발표하기에 이르렀다. 그날 나는 따오위타이(釣魚臺, 국빈관)에서 양국 외무장관들이 수교 조인서에 서명하는 장면을 뒤에서 지켜보면서 얼마나 감사했는지 모른다.

1965년에 중문학과에 입학하면서 30년 정도 지나면 중국으로 가는 길이 열릴 것이라고 막연하게 생각했었다. 1973년에 외무부에 들어온 후로는 어떻게든 중국과의 수교 현장에 있기를 소원하면서 기다려왔다. 그런 나로서는 예상했던 30년보다 3년이나 빠른 27년 만에 역사적인 한중 수교 현장에 서 있다는 사실이 참으로 감격스럽고 영광스러운 일이 아닐 수 없었다.

당시 외무부 내에서는 장관이 북미과장을 하라는데도 구태여 중국을 관장하는 동북아2과장을 하고, 주미대사관에 참사관으로 가라는데도 우겨서 주일대사관에 간 나의 행동에 대해 의아하게 생각하는 사람들이 있었다. 그들의 눈에는 가까운 시일 안에 이루어질 가능성이 희박한 한중 수교에 집착하는 내가 이상하게만 보였을 것이다. 그래서 더더욱 그토록 갈망하던 한중 수교의 현장에 서 있다는 사실에 나는 말로 표현할 수 없는 큰 기쁨을 맛보았다.

소망의 싹이 보이다

한중 수교 이후 나는 새로 개설된 주중대사관에서 마음껏 활동하기 시작했다. 중국 정부와 중국인 친구들은 나를 아주 특별하게 대우했다. 그들이 나를 그렇게 대우한 데에는 몇 가지 이유가 있었다.

첫 번째로 나는 중국이 매우 중시한 한중 수교 공로자 중 한 명이었다. 수교 교섭은 양국 간의 최고급 비밀을 다루는 일이다. 그래서 중국 인사들은 나와 비밀스러운 이야기를 나누는 데 매우 익숙했다. 두 번째로 나는 중국어를 할 줄 알았고 또 중국문학을 전공했기 때문에 중국의 역사나 문화에 대해 중국인들과 자연스럽게 대화할 수 있었다. 세 번째는 내가 중국에서 문화대혁명이 발생하기 직전, 혼란스러웠던 시기인 1965년에 중국에 대한 꿈을 품고 대학에서 중국문학을 공부했다는 사실과 외무부에서도 중국을 향한 뜻을 굽히지 않았다는 사실에 그들이 크게 감동했기 때문이었다.

나는 수많은 중국 친구들을 사귀면서 서서히 주중대사에 대한 꿈을 키우기 시작했다. 그리고 1995년 1월에 아태국장(아시아태평양국장)으로 임명되어 베이징을 떠날 때 베이징 21세기교회 교인들에게 10년 안에 주중대사가 되어 돌아오겠다는 나의 세 번째 꿈을 이야기했다. 사실 당시 그 꿈은 막연한 내 소망이었을 뿐, 주위 환경 어디에서도 그러한 가능성은 찾아볼 수 없었다. 그러나 나는 하나님께서 틀림없이 주중대사로 만들어주실 것이라는 확신을 가지고 있었다.

1995년 1월부터 2년 동안 본부에서 아태국장으로 일하면서 계속 중국을 오가게 되었으며 또 한국에 온 수많은 중국 친구들과 교류를 계속했다. 그리고 1997년 2월에 외무부 장관 특별보좌관으로 자리를 옮기자마자 황장엽 사건이 터졌고, 그 일을 해결하기 위해 혼자 베이징에 가서 35일 동안 머무르기도 했다.

그러다 1998년 2월 25일에 김대중 대통령 의전비서관으로 임명되어 청와대 근무를 시작하게 되었다. 《하나님의 대사》 1권에서 언급했듯이 나는 처음에는 청와대 근무를 원하지 않았다. 그러나 시간이 흘러가면서 상황이 변하기 시작했고, 대통령 취임식 사흘 전에 별안간 의전비서관으로 임명되었다. 나는 이 과정에 하나님의 간섭이 있으셨다고 믿는다.

같은 해 11월 11일부터 15일까지 김대중 대통령께서 중국을 국빈 방문했다. 대통령께서는 12일에 장쩌민(江澤民) 국가주석과 정상회담 및 국빈 만찬을 했고, 이튿날 오전에는 숙소인 땨오위타이에서 첸치천(錢其琛) 부총리를 접견했다. 당시 면담에는 우리 측 홍순영 외교통상부 장관, 권병현 주중대사, 강봉균 경제수석, 임동원 외교안보수석, 박지원 공보수석 등이 배석했다. 중국 측에서는 쉬둔신(徐敦信) 전인대 외사위 부주임(수교 당시 부부장), 우다웨이(武大偉) 주한대사, 장팅옌(張庭延) 전(前) 주한대사 등이 배석했다.

면담이 끝날 때쯤 대통령께서 갑자기 나를 부르시더니 말씀하셨다.

"첸 부총리, 우리 김 비서관을 아시죠?"

"네, 압니다."

"저기 앉아 있는 장팅옌 전 대사가 한중 수교 교섭을 통해서 주한대사가 되었는데, 앞으로 김 대사도 주중대사를 할 것입니다. 김 비서관은 내가 대통령이 되면서 발탁했는데, 여러분들도 아시다시피 의전비서관은 비서실장과 더불어 대통령과 지내는 시간이 가장 많은 사람입니다."

나는 깜짝 놀랐다. 대통령께서 수많은 사람들 앞에서 그것도 중국 부총리를 비롯한 고위 인사들 앞에서 내가 장차 주중대사가 될 것이라고 말씀하시는 것이 아닌가! 나도 놀랐지만 그 자리에 있던 모든 사람들이 다 놀랐다. 더 놀라운 것은 대통령께서 곧 이어진 중국 주요 경제 인사들과 면담에서 또다시 나를 소개하시면서 내가 과거 주중대사관의 공사로서 한중 수교에 큰 공헌을 했다고 칭찬하셨다.

대통령께서는 중국을 방문하시는 동안 중국 정부와 각계 주요 인사들에게 내가 언젠가 주중대사가 될 것이라는 메시지를 분명하게 전달하시려는 것 같았다. 이때부터 중국 정부와 중국 친구들은 내가 주중대사로 오는 것을 기정사실로 받아들이고 올 시기를 기다렸다. 나에게도 시간이 흐르면서 그동안 기도를 통해 꿈꿔오던 소망의 싹이 보이기 시작했다.


마침내 다 이룬 꿈

그러던 중 2000년 8월에 '국민의 정부' 출범 후 주중대사로 부임하여 2년여를 근무했던 권병현 대사가 돌아오고, 홍순영 전 외무부 장관이 주중대사로 부임했다. 대사의 임기가 통상 3년임을 고려할 때, 신임 홍순영 대사가 정권 말기까지 대사를 할 것이 확실했다.

당시 나는 1급 비서관이었기 때문에 차관급인 주중대사를 맡기에는 직급이 낮았다. 게다가 1995년을 기점으로 10년 안에 주중대사가 되기를 소망했기 때문에 나로서는 서두를 이유도 없었고, 주중대사가 되더라도 다음 정부에 가서야 가능할 것이라 생각했다. 그래서 주중대사에 대한 생각은 잊어버리기로 했다. 나는 8월 말에 외교안보수석비서관으로 임명되었다.

그런데 1년 후인 2001년 8월 말에 야당인 한나라당이 8·15 남북 공동행사 방북단의 평양 체류 활동을 이유로 임동원 통일부 장관에 대한 해임 건의안을 발의했다. 나는 외교안보수석비서관으로서 통일부 장관과 업무적으로 깊은 연관이 있어서 장관 해임 결의안에 대해 신경을 많이 썼다. 그럼에도 임 장관에 대한 해임 결의안이 9월 3일에 국회에서 통과되고 말았다. 나는 통일부 장관 후임 문제가 어떻게 될지 걱정이 되었다.

그런데 며칠이 지나 홍순영 주중대사가 통일부 장관에 임명되면서, 내가 전격적으로 후임 주중대사로 임명되었다. 아무도 예상치 못한 일이었다. 어느 누가 통일부 장관 해임 결의안이 국회를 통과할 것이며 또 대사로 부임한 지 1년밖에 안 된 홍순영 주중대사가 통일부 장관이 될 것이라고 상상이나 했겠는가!

나는 그렇게 주중대사가 되었다. 이로써 나의 세 가지 꿈이 다 이루어졌다. 이 일을 통해 나는 대부분의 사람들이 가려고 하는 길을 무조건 따라가기보다는 자신만의 꿈과 비전을 품고 주어진 일에 최선을 다하면서 인내하며 기도로 나아갈 때 하나님께서 반드시 그 길을 인도해주신다는 것을 확실히 경험했다.

2001년 10월 4일에 대통령께서는 내게 대사 임명장을 주시며 환담하는 자리에서 내가 떠나는 것에 대한 아쉬움과 섭섭함을 표현하셨다. 그리고 조용히 나에게 말씀하셨다.

"내가 이번에 김 수석을 주중대사로 임명했더니 김 대사가 유능하긴 하지만 나이도 젊고, 초임(初任) 대사로서 인구가 13억이나 되는 중국에 가서 과연 잘할 수 있을지 걱정하는 사람들이 있어요. 그러나 나는 김 대사가 아주 훌륭한 대사가 될 거라고 믿어요. 가서 열심히 해서 내가 한 결정이 옳았다는 것을 사람들에게 보여주세요."

나는 그 말을 들으면서 얼마나 감사했는지 모른다. 그래서 주중대사로 있는 6년 반 동안 혼신의 힘을 다해 대사직을 수행하려고 노력했다.

2008년 3월, 나는 '최장수 대사'라는 영예로운 평가를 들으면서 주중대사직을 무사히 마쳤다. 귀국 후 김대중 대통령께 인사를 갔다. 대통령께서는 나를 반갑게 맞으시며 말씀하셨다.

"내가 얘기했잖아요. 김 대사가 틀림없이 주중대사를 훌륭하게 할 것으로 믿었어요. 고마워요. 내 결정이 옳았다는 것을 사람들에게 보여줘서."

나는 대통령의 말씀에 말할 수 없는 감사를 느꼈다. 3년이 넘는 청와대 근무를 통해 나는 김 대통령께서 일생 동안 겪으신 고난의 정도가 내가 그때까지 막연히 가지고 있던 그 분에 대한 생각을 뛰어넘는다는 것을 알게 되었다. 그 분은 수많은 고난을 하나님의 공의(公義)에 의지하는 확고한 믿음으로 이겨내셨다.

나는 그 분의 일생을 보며 고시에 합격하고 관료가 되어 편안하고 순탄하게 살아온 내 인생을 돌아보게 되었다. 그때까지 세상을 바라보고 사람을 의지하려 했던 내 모습이 너무나 부끄러웠다. 그래서 나는 대통령을 위해 끊임없이 기도했다. 하나님께서 그런 나의 기도를 들어주셔서 그 분의 마음을 만지셨기에 대통령께서 그토록 나를 사랑하고 믿으셨으리라 생각한다.


## 눈동자처럼 지키시다

나는 1998년 2월 25일, 대통령 취임식 당일에 김대중 대통령을 모심으로써 청와대 근무를 시작했다.

대통령 주변에는 그 분을 오랫동안 모신 측근들이 많았다. 나는 호남 출신도 아니고, 대통령과 그 측근들도 전혀 몰랐으며, 그저 하루아침에 외무부에서 불려온 일개 관료에 불과했다. 김대중 대통령께서는 그런 나를 무척 사랑하고 신임하셨다. 대통령을 오래 모신 사람들의 눈에는 대통령께서 지금까지 아무런 관계도 없던 비서관을 그토록 신임하시는 것이 불가사의하게 보였음이 틀림없다.

청와대에는 나를 도와줄 사람도 내가 의지할 사람도 없었다. 나에게는 오직 하나님 한 분만 계셨다. 그래서 나는 누구도 의지하지 않고 하나님만 의지하려 했다. 아무리 바쁘고 힘들어도 꼭 새벽예배에 참석했다. 하나님은 그러한 나를 눈동자처럼 지켜주셨다.

한 번은 이런 일이 있었다. 2000년 3월 6일 오후에 대통령께서 프랑스 국빈 방문차 파리에 도착했다. 그날 저녁 대통령 관저인 엘리제궁 전에서 시락(Jacques Rene Chirac) 대통령 주최 만찬이 열렸다. 대통령께서는 밤 11시가 되어서야 영빈관으로 돌아오셨다. 나는 대통령께서 묵으시는 방에서 잠깐 보고를 드리고, 내 방으로 돌아왔다. 샤워를 하고 기도한 후에 다음 날 일정을 챙기고 나니 새벽 2시였다. 아침 6시 전에는 일어나야 하니 잘 시간이 얼마 없었다. 나는 눈을 감자마자 곯아떨어졌다. 단잠을 한창 자는데 갑자기 누가 내 머리를 딱 쳤다.

'어, 누구지?'

깜짝 놀라 일어났는데 아무도 없었다. 다시 잠을 자려고 누웠는데 이상하게도 눈이 말똥말똥해지면서 잠이 오지 않았다. 그때 번뜩 이런 마음이 들었다.

'대통령이 너를 찾을 것이라.'

나는 서둘러 샤워를 하고, 머리를 만지고, 넥타이를 매고, 양복을 입었다. 그런 후에 책상에 앉자마자 전화벨이 울렸다. 시계를 보니 새벽 5시 5분이었다. 전화를 받아보니 대통령을 옆에서 모시는 장옥추라는 여비서였다.

"비서관님, 일어나셨어요?"

"네, 일어났습니다."

"준비하시는 데 얼마나 걸리실 것 같아요?"

"왜요?"

"지금 대통령님께서 비서관님을 찾으시거든요. 오시는 데 얼마나 걸리실까요?"

"지금 바로 갈 수 있어요."

"그럼 지금 오세요."

나는 전화기를 내려놓고 대통령 방으로 갔다. 내가 노크를 하고 들어가니 대통령께서 깜짝 놀라셨다.

"아니, 안 잤나?"

"잤습니다."

"그런데?"

"찾으실 것 같아 일어나 있었습니다."

"그래?"

대통령께서는 여비서에게 '비서관이 일어나면 오라고 하라'고 지시하고, 내가 준비하고 오려면 다소 시간이 걸리리라 생각하셨던 것 같다. 대통령께서는 의아한 눈빛으로 나를 쳐다보시며 몇 가지 일을 지시하셨다. 그리고 몇 달이 지났다.

2000년 9월 5일부터 3일간 대통령께서 유엔 밀레니엄 정상회의 참석차 미국을 방문하셨을 때였다. 우리는 뉴욕 맨해튼에 있는 월도프 아스토리아호텔에 짐을 풀었다. 뉴욕에 도착한 날 저녁에도 체류 일정 확인 및 준비 등으로 새벽 2시가 되어서야 잠자리에 들었다.

그런데 새벽에 누가 내 머리를 또 때리는 것 같았다. 그날은 일어나자마자 바로 씻고, 옷을 입고 책상에 앉아 있었다. 곧 전화벨이 울렸는데 시간을 보니 5시였다. 받아보니 장 비서였다.

"수석님, 일어나셨어요?"

"네, 일어났습니다."

"그럼 얼마나 걸리실 것 같아요?"

"대통령님이 찾으시나요?"

"네, 지금 찾으시거든요."

"나는 다 준비됐어요. 바로 갈게요."

"그럼 오세요."

나는 수화기를 내려놓고 바로 대통령 방으로 갔다. 대통령께서는 내가 준비하고 오려면 시간이 걸릴 것이라고 생각하셨는지 소파에 비스듬히 기대어 계시다가 넥타이까지 깔끔하게 맨 나를 보시더니 깜짝 놀라셨다.

"아니, 안 잤나?"

"잤습니다."

"그런데?"

"네, 찾으실 것 같아서 기다리고 있었습니다."

"그래?"

대통령께서는 나에게 여러 가지를 물으시고, 많은 것을 지시하셨다.

나중에 김대중 대통령께서 퇴임하신 후에 장 비서를 만날 기회가 있었다. 그녀가 내게 말했다.

"대사님은 참 신기하세요. 어떻게 대통령님께서 찾으실 때마다 그렇게 일어나 계셨어요?"

내가 대답했다.

"하나님을 믿는 사람은 항상 그래요."

나는 청와대에서 의전비서관과 외교안보수석비서관으로 근무한 3년

8개월 동안, 대통령을 모시고 외국 여러 나라와 전국 방방곡곡을 돌아다녔다. 그런데 놀라운 것은 언제 어디서나 대통령께서 나를 찾으실 때는 항상 일어나 정장을 하고 기다리고 있었다는 사실이다. 어떻게 매번 이런 일이 가능할 수 있었겠는가! 내 안에 계신 성령께서 대통령이 나를 찾을 것을 알고 계셨으며, 대통령을 위해 끊임없이 기도하는 나를 사랑하셔서 내가 놀라거나 당황하지 않도록 눈동자처럼 지켜주셨기 때문이다. 나는 지금도 그때를 생각하면 눈물이 나도록 하나님께 감사하다.

## 그 분이 알아서 하실 것입니다

2001년 10월에 주중대사로 부임하면서 나는 대사 임기를 1년 반 정도로 생각했다. 2003년 2월에 새로운 정부가 들어서면 정치적인 영향을 받는 주중대사는 반드시 바뀔 것이기 때문이었다. 그래서 4월경 중국을 떠나는 것으로 마음의 준비를 하는 동시에 현실적으로도 그것에 맞춰 일을 처리했다.

2003년 2월 25일에 노무현 대통령 당선자가 대통령으로 취임했고, 나는 당연히 떠나게 될 것으로 생각하고 준비했다. 그러던 어느 날 베이징에 주재하는 한국 특파원단과 점심을 하게 되었다. 식사 중에 한 특파원이 물었다.

"이번에 새로운 정권이 들어섰는데 대사님은 계속 계십니까? 떠나십니까?"

"그거야 하나님께서 알아서 하시겠지요."

"아니, 그게 무슨 말씀이세요."

"다른 사람은 몰라도 저는 하나님께서 있으라 하시면 있고, 떠나라 하시면 떠날 겁니다. 물론 현실적으로는 대통령께서 결정하시겠지만 실제로는 하나님께서 대통령의 마음을 움직이시는 것이니까요. 그분께서 다 알아서 하실 겁니다."

질문한 특파원이 약간 황당하다는 듯한 표정을 지었다.

그 후 1년 반이 지나, 내가 중국에 온 지 3년이 되어가니까 국내 언론에서도 주중대사 교체설이 거론되면서 내 후임자들의 프로필과 사진이 나오기 시작했다. 그때도 여러 특파원들이 나에게 물었다. 내 대답은 동일했다.

"그거야 하나님께서 알아서 하시겠지요."

6개월마다 똑같은 상황이 벌어졌다. 시간이 지나면서 특파원단의 관심은 내가 직업 외교관으로서 최장수 대사 기록을 갖고 있는 김동조 전 주미대사(후에 외무부 장관 역임)의 기록인 6년 2개월을 깨느냐 하는 것으로 바뀌었다. 2007년 6월 8일에 당시 《조선일보》 베이징 특파원이 이런 기사를 썼다.


'그 분께서 알아서 하실 것입니다.'

김하중 주중 한국대사가 자주 하는 말이다. 김 대사는 2007년 6월 현재 5년 8개월째 중국 주재 특명전권대사직을 수행 중이다. 이승만 초대 대통령 시절 9년간 주미대사를 지냈던 양유찬 대사와 박정희 대통령 때 6년 2개월 동안 주미대사를 지낸 김동조 대사 이래 제3위의 장수 대사다. 연말에 대선이 치러지고, 내년 1월 정권 교체가 이루어질 때까지 대사직을 수행할 경우, 김동조 전 대사를 제치고 역대 랭킹 2위의 장수 대사가 될 전망이다.

김 대사가 말하는 '그 분'이란 대통령일 수도 있고, 외교부 장관일 수도 있고 하나님일 수도 있다. 김 대사는 독실한 크리스천이다. 김 대사는 무신론의 나라, 중국에서 대사직을 수행하면서도 자신이 기독교 신자임을 감추지 않는다. 오히려 6자회담을 담당하고 있는 우다웨이 외교부 부부장이나 왕이 현 주일 중국대사에게 '당신을 위해 기도하고 있다'고 말한 적이 있었을 정도다. 김 대사는 자신의 거취나 인사 문제에 대해 기자들이 질문하면 늘 "그 분께서…"라는 말로 대답한다.


## 사람은 누구도 의지하지 않습니다

2007년 12월 말이었다. 대사관의 경제공사가 와서 노무현 대통령 측근 인사 한 분이 베이징에 오는데 나를 만나고 싶어 한다고 보고했다. 며칠 후 나는 베이징에 도착한 그와 저녁 식사를 했다. 그 인사와 동행한 교수 한 분과 대사관 경제공사가 동석했다. 인사를 마치자 그가 말했다.

"대사님은 저를 처음 보시지요?"

"네, 그동안 말씀은 많이 들었지만 뵙는 것은 오늘이 처음입니다."

"저는 지난 5년 동안 대통령님을 모시고 있으면서 공무원 인사(人事)에 많이 관여했습니다. 그래서 대한민국 고위 공직자들은 외교통상부를 포함해서 거의 대부분 만났습니다. 그런데 이상하게도 대사님은 한 번도 뵐 기회가 없었습니다. 제가 비서실장이나 인사수석, 민정수석 등 인사에 관련된 사람들에게 '김하중 대사를 만난 적이 있느냐'고 물어보았는데, 아무도 만나본 적이 없다고 하더군요. 어떻게 그러시지요?"

"네, 저는 하나님을 믿는 사람이라 사람은 누구도 의지하지 않습니다. 지금까지 공무원 생활을 하면서 제 인사 문제로 누구를 만난 적도 없고, 누구에게 부탁을 해본 적도 없습니다."

"아! 그러시군요. 사실 지난 5년 동안 청와대에서 몇 번이나 주중대사를 교체하려고 했습니다. 하지만 주중대사 교체 후 중국과의 관계에 문제가 발생하면 어떻게 하나 걱정이 되어서 결국 바꾸지 못했습니다. 거기다 대통령을 비롯한 청와대 고위 인사들은 김 대사께서 자신의 인사 문제를 누구에게도 부탁하지 않았다는 점을 높이 평가하고 있습니다."

저녁 식사가 끝나고 그와 헤어진 후에 내가 경제공사에게 말했다.

"공사는 지금까지 내가 중국에 이렇게 오래 있는 것이 뒤에서 특별한 채널을 통해 로비를 했기 때문이라고 생각하지 않았나요?"

경제공사가 대답했다

"대사님, 죄송합니다. 사실 그렇게 생각한 면이 없지 않았습니다. 그런데 오늘 이야기를 들으면서 정말 놀랐습니다."

나는 김대중 대통령을 모시고 일할 때 대통령과 가깝다고 하는 인사들을 공식적인 자리가 아닌 곳에서 만나본 적이 없었다. '참여정부(노무현 정부)' 때도 공무로 접촉하거나 중국을 방문한 인사들과는 공적인 차원에서 접촉했지만, 어느 누구에게도 내 문제를 꺼낸 적이 없다. 그럼에도 불구하고 많은 분들이 나도 모르게 뒤에서 도와주셔서 주중대사를 6년 반이나 하게 된 것으로 알고 지금도 감사하게 생각한다.

2008년 3월에 통일부 장관으로 임명될 때도 나는 새로운 정권에 가까운 사람들을 알지도 못하고, 더욱이 누구하고 접촉한 적도 없다. 그런데 통일부 장관이 되고 나니, 일부 사람들은 내가 김대중 대통령과 노무현 대통령 그리고 이명박 대통령까지 세 분의 대통령을 모시게 된 것은 로비를 잘했기 때문이라고 생각하여 비아냥대는 말을 했다. 나는 그 이야기를 듣고 웃었다. 그리고 하나님의 사람이 어떤지 모르는 사람들을 위해 기도하고 축복해주었다.

세상의 군왕들이 나서며 관원들이 서로 꾀하여 여호와와 그의 기름 부음 받은 자를 대적하며 시 2:2

## 남북 문제를 다루게 하시다

1992년에 주베이징 무역대표부에 부임하여 6개월 만에 중국과 수교를 하고, 대사관의 정무공사로서 근무하는 3년 동안 내 일은 남북관계에 관한 것이 대부분이었다. 1995년 1월에 귀국해서 아태국장으로 근무하는 2년 동안에도 많은 시간을 북한 문제에 매달렸다. 그리고 1997년 2월에 장관 특보로 자리를 옮기자마자 발생한 황장엽 사건을 비롯해 북한과 관련된 문제를 처리하는 데 대부분 시간을 보냈다.

1998년 2월부터 김대중 대통령을 모시기 시작하면서도 북한에 관한 일은 계속되었다. 청와대를 떠날 때까지 나는 대통령 옆에서 북한과 남북 관계에 관해 많은 것을 보고 배울 수 있었다. 특히 2000년 6월 13일부터 15일까지 대통령을 모시고 평양에 갔을 때는 북한의 실상을 직접 보면서 김정일 위원장을 비롯한 북한의 주요 인사들과도 만나게 되었다. 북한에서 체류한 2박 3일 동안 시간이 날 때마다 나는 숙소인 백화원 초대소 내 방에서 무릎을 꿇고 기도했다. 지금도 나는 그때 내가 뿌린 기도의 씨앗이 틀림없이 잘 자라고 있으리라 확신한다.

그 후 중국에 가서 6년 반 동안 대사로 근무하면서 북한에 관련된 많은 일을 했다. 대사관에 들어온 1060여 명의 탈북자들을 한국으로 보냈고, 국군 포로와 납북자 문제 등을 처리했다(탈북자와 국군 포로 문제는 워낙 민감한 사안이라 모두 공개적으로 이야기하기는 어렵다. 대사관이나 정부의 태도에 대해 불만을 표시하는 경우도 있으나, 대사관으로서는 중국 측으로부터 적극적인 협조를 받아내기 위해 최선을 다했으며 상세한 내용들은 공개될 때가 있을 것으로 믿고 이 책에서는 생략하기로 한다).

6자회담이 시작될 때부터 내가 2008년 3월에 중국을 떠날 때까지는 6자회담에 매달려 지냈다. 북한이 핵실험을 하고 미사일을 쏠 때마다, 김정일 위원장이 중국을 방문할 때마다 무척 바빴다. 시간이 지날수록 하나님께서는 점점 더 나를 북한과 관련된 문제에 끌어들이셨다.

## 이번에 돌아가지 않도록 기도해주세요

2006년 가을 어느 날이었다. 대사관의 한 여자 외교관이 나에게 결재를 받으러 왔다. 결재를 마치고 나서 그녀는 내게 자신이 꾼 꿈 이야기를 했다.

"대사님이 백화점 같은 큰 건물도 수용할 수 있을 만큼 큰 비행기를 타고 귀국하시는 꿈을 꾸었습니다. 짙은 색 양복을 입은 사람들이 대사님 옆에서 보좌를 하고 있었어요. 그중 한 사람이 대사님께 아주 근사한 양복을 건네면서 갈아입으시라고 했어요. 어찌나 좋은 양복이었는지 '세상에 저렇게 아름다운 양복도 있구나, 대사님은 참 좋으시겠다' 하고 생각했습니다. 그런데 뜻밖에도 대사님은 고개를 갸우뚱하시면서 별로 가고 싶지 않은 표정이셨어요. '좋은 일 같은데 왜 저렇게 표정이 밝지 않으실까?'라고 생각했습니다."

그해 10월 29일에 국내 언론들이 청와대 측 자료를 근거로 안보부서 개각 관련 내용을 보도하면서, 나를 통일부 장관 1순위, 외교통상부 장관 2순위, 대통령 안보실장 1순위로 보도하기 시작했다. 그런데 이상하게도 그날 저녁에 기도를 하는데 전혀 기쁨이 없었다. 나는 계속 기도했다. 역시 전혀 감동이나 기쁨이 없었다. 그것은 서울에 들어가는 것이 하나님의 뜻이 아니라는 메시지였다.

나는 여자 외교관의 꿈 이야기가 생각이 나서 그를 불렀다.

"얼마 전에 나한테 꿈 이야기한 적 있지요?"

"네."

"그 꿈을 다시 한 번 이야기해보세요."

나는 꿈 이야기를 다시 듣고 난 후 말했다.

"부탁이 있는데, 이번에 돌아가지 않도록 기도해줄래요?"

"네? 정말이십니까? 하지만 돌아가시는 것이 좋은 거 아닌가요?"

"글쎄, 자세히 설명은 못하지만 그냥 기도해주세요."

"대사님, 그렇게 말씀하시면 저는 정말 그렇게 기도합니다. 그래도 되겠습니까?"

"그렇다니까요."

"알겠습니다. 그럼 그렇게 기도하겠습니다."

그리고 며칠이 지났다. 먼저 통일부 장관에 다른 사람이 내정되고, 다음에는 외교통상부 장관에 다른 사람이 내정되었다. 그리고 마지막으로 대통령 안보실장에도 다른 사람이 내정되었다.

연말이 되어 나는 베이징 한인교회연합회 목사님들과 저녁 식사를 하게 되었다. 연합회 간사인 안디옥교회 전진국 목사님이 말했다.

"대사님, 지난번 안보부서 개각 때 왜 장관이 안 되신 줄 아십니까?"

"모르겠는데요."

"여기 있는 우리 목사들과 중국에 있는 많은 목사와 선교사들이 대사님이 중국을 떠나시지 못하도록 기도했습니다. 대사님, 정말 죄송합니다."

나는 그 말을 들으면서 내가 기도할 때 왜 마음이 기쁘지 않았는지를 알게 되었다. 하나님께서 중국에 있는 목사님과 선교사들의 간구를 들어주셨기 때문이었다.

후에 내가 통일부 장관이 된 다음인 2008년 12월에 중국을 방문한 적이 있었다. 그때 나는 베이징 한인교회연합회 목사님들과 오랜 만에 만남의 자리를 가졌다. 한 목사님이 말했다.

"저희들이 2007년이 되어서는 대사님께서 중국에 계실만큼 계셨다고 생각했습니다. 그래서 기도를 바꿨습니다. 대사님이 더 영향력 있는 자리에 가시도록 말입니다."

나는 그 이야기를 들으면서 다시 한 번 하나님께 감사를 드리지 않을 수 없었다. 그리고 나를 위해 기도해주신 목사님들과 중국에 계신 선교사님들에게 마음으로 깊은 감사를 드렸다.

## 통일부 장관을 하십시오

2007년 봄, 내가 주중대사를 한 지 5년 반이 되었을 때였다. 하루는 나에게 꿈 이야기를 해준 그 여자 외교관이 결재를 받으러 내 방에 들어왔다. 결재를 마친 다음에 그녀가 말했다.

"대사님께 건의드릴 게 하나 있는데요, 제가 말씀을 드려도 화내지 말아주십시오."

"무슨 얘기를 하려고 그래요?"

"화내지 않겠다고 약속하시면 말씀드리겠습니다."

"그럼 하세요. 약속할게요."

"대사님은 앞으로 외교부 장관 하지 마시고 통일부 장관을 하십시오."

"아니, 그게 무슨 말이에요? 내가 외교부 장관도 아닌 통일부 장관을 어떻게 해요? 외교부 장관이 될 리도 없지만 설사 된다고 해도 통일부 장관은 외교부 장관보다 서열이 앞서기 때문에 불가능해요. 지금까지 선배님들 중에서 통일부 장관이 된 분들도 전부 외교부 장관을 지낸 다음에 하셨지, 통일부 장관을 바로 한 사람이 없어요. 그런데 내가 어떻게 통일부 장관을 한단 말이에요? 혹시라도 누가 들으면 이상하게 생각하니까 절대로 그런 말 하지 마세요."

그 외교관은 내게 단단히 주의를 받고 돌아갔다. 그런데 얼마 후에 그녀가 결재를 받으러 와서는 또 그 얘기를 꺼내는 게 아닌가!

"아니, 왜 또 쓸데없는 이야기를 해요? 더 이상 그 얘기는 하지 마세요."

그 여자 외교관은 아무 말도 하지 않고 방을 나갔다. 얼마 후 그녀가 내게 와서 또 같은 말을 했다.

"내가 하지 말라는데 자꾸 하는 이유가 대체 뭐예요?"

"저는 주중대사관에 부임한 이후 대사님을 위해 계속 기도했습니다. 그리고 마음속으로 언젠가 하나님께서 대사님을 외교부 장관으로 만들어주시도록 간구했습니다. 그런데 얼마 전부터 하나님께 기도하면 '외교부 장관이 아닌 통일부 장관'이라는 마음을 주십니다. 아무리 대사님께서 듣기 싫어하셔도 하나님께서 주시는 마음을 어떻게 바꿔서 말하겠습니까?"

나는 그 말을 들으면서 놀랍기도 하고 감사하기도 했다. 부하 직원이 나를 위해 깊은 기도를 드린다는 게 고마웠다. 나는 그녀에게 '무슨 말인지 알겠지만 그래도 더 이상 이야기하지 말라'고 주의를 주었다. 사실 그때는 여당이나 야당 어디서도 대통령 후보가 결정되지 않은 시기여서 그런 이야기 자체가 말이 안 되는 상황이었다.

시간이 지나 정권이 바뀌고 2008년 2월 15일에 '이명박 정부'의 새로운 각료들이 발표되었다. 나는 명단에 포함되지 않았다. 그리고 그 여자 외교관은 임기를 마치고 본부로 돌아갔다.

그녀가 서울로 돌아간 후 나에게 전화를 했다.

"대사님, 제가 어제 꿈을 꾸었습니다."

"무슨 꿈인데요?"

"꿈에 대통령 당선자께서 대사님을 찾으셨습니다. 당선자가 '소문을 들으니까 김 대사가 두 가지 악기를 잘한다는데 그 악기 연주를 듣고 싶다'라고 해서서 대사님이 악기를 가지고 당선자가 계신 곳으로 가셨습니다. 그리고 밖에서는 사람들이 모여 잔치 준비를 하고 있었습니다. 대사님, 곧 좋은 소식이 있을 것 같습니다."

그녀의 말을 듣고 나는 화를 버럭 냈다.

"이봐요. 이 전화는 국제전화예요. 사람들이 다 듣고 있을 텐데 지금 무슨 말을 하는 거예요?"

그러고는 전화를 끊었다.

며칠이 지나 3월 1일 공휴일 아침이었다. 나는 대사관 근처에 있는 공원을 산책하다가 내가 통일부 장관에 내정되었다는 통보를 받았다. 사흘 뒤인 3월 4일 귀국해서 10일에 청문회를 마치고, 11일에 환경부 장관과 국가경쟁력강화위원장, 국정원 차장들과 함께 대통령으로부터 임명장을 받았다. 그리고 대통령이 주최하는 오찬에 참석했다.

식사 중에 대통령께서 말씀하셨다.

"통일부 장관은 이번에 왜 내가 장관으로 임명한 줄 아세요?"

"모릅니다."

"두 가지 이유 때문입니다."

'두 가지 이유?'

순간 나는 깜짝 놀랐다.

오찬이 끝나고 돌아오는 자동차 안에서 아내가 말했다.

"두 가지 이유, 두 가지 악기… 참 놀랍네요."

이 모든 과정을 통해 하나님께서는 내게 이렇게 말씀하고 싶으신 듯했다.

'이 나라에서 아무도 너를 통일부 장관이라고 생각하지 않을 때, 내가 이미 그 여자 외교관을 통해 이야기하지 않았느냐? 그리고 그의 꿈을 통해 두 가지 이유로 너를 뽑을 것이라고 알려주지 않았느냐? 너는 앞으로도 내 말에 순종해야 한다.'

하나님께서는 나에게 세 가지 꿈을 주시고, 주중대사로 만드시고, 1992년 2월 베이징에 와서 무역대표부 근무를 시작한 16년 전부터 북한 문제에 관여하게 하셔서 통일부 장관으로 세우셨다.

나는 그날 집에 돌아와 무릎을 꿇고 하나님께 감사했다. 그리고 죽을 때까지 하나님께 충성할 것을 다시 한 번 다짐했다.

Ambassador Of God

# 하나님의 살아 계심과 역사하심

하나님께서는 사랑하는 자의 기도를 들으시고
그가 조금이라도 불편한 상황에 처하지 않도록 인도해주셨던 것이다.
**하나님의 이 사랑을 어떻게 감당할 수가 있겠는가!**

·
·
·

# 하나님은 살아 계셔서

하나님을 믿고 의지하는 자들을 사랑하시고 보호하신다. 나는 하나님의 대사로 중국에 근무하는 동안, 하나님께서 환난을 당한 주님의 종들을 구하시는 것을 경험하기도 했고, 어떤 때는 하나님의 백성들을 돕다 고난당한 자를 보호하시는 동시에 그를 통해 많은 영혼을 구원하시는 것을 경험하기도 했다.

또한 공무를 수행하면서 끊임없이 기도하는 나를 사랑하셔서 내가 어려운 상황에 처하지 않도록 해주셨고, 어떠한 경우에도 당황하거나 부끄러움을 당하지 않도록 인도해주셨다. 나는 이러한 하나님의 역사를 수도 없이 경험했는데 그 가운데서 몇 가지만 소개하고자 한다.

아무 걱정하지 말고 담대하라

중국에 있는 탈북자들이 2002년 5월 주중 한국대사관으로의 진입을 시작으로, 베이징을 중심으로 한 중국 내 외국 공관에 진입하는 횟수가 급속도로 증가했다. 이와 함께 국군 포로들도 중국을 통한 한국으로의 귀환을 위해 다양한 시도들을 하기 시작했다.

6·25 전쟁 휴전 이후 유엔군과 공산군은 1953년 4월부터 1954년 1월까지 세 차례에 걸쳐 전쟁 포로를 상호 교환했다. 당시 유엔군 측은 국군 실종자 수를 약 8만 2천 명으로 추정했으나 공산군 측으로부터 최종 인도된 국군 포로는 8343명에 불과했다. 실종된 국군의 상당수는 송환되지 못한 채 북한에 강제 억류된 것으로 추정된다.
1994년 조창호 소위의 탈북 귀환 이후 2010년 6월 말까지 총 79명의 국군 포로가 탈북 귀환했고, 국방부는 귀환한 국군 포로와 탈북자들의 진술을 바탕으로 2009년 말 기준으로 500여 명의 국군 포로가 북한에 생존해 있는 것으로 추정하고 있다.

_《2010 통일백서》 중에서

이러한 국군 포로들의 움직임을 촉발시킨 것이 2003년 11월 중순 발생한 전용일 씨 사건이었다. 2003년 6월에 북한을 탈출한 전용일(당시 72세) 씨 부부는 그해 11월 13일, 중국 저장성(浙江省) 항저우(杭州) 공항에서 다른 사람 명의의 위조 여권을 이용해 비행기를 타려다 중국 공안(公安)에 체포되었다. 그리고 며칠 후 중국과 북한 접경 도시인 투

먼(圖們)으로 압송되었다.

그동안 정부에 알리지 않은 채 전 씨의 귀국을 비밀리에 도와온 사람들이 사정이 급박해지자 국내 언론에 이 사실을 알려서 11월 20일 오후에 최초로 국내 신문에 보도되었다. 이후 중국 당국에 의해 체포된 최초의 국군 포로인 전용일 씨를 중국 정부가 어떻게 처리할지에 대한 지대한 국민적 관심을 대변하듯 전 언론들이 앞다투어 이 사건을 보도했다.

국군 포로의 신분은 기본적으로 탈북자와는 다르다. 그들은 원래 한국인이었고 나라를 위해 싸우다가 포로가 된 사람들이기 때문에 어떠한 일이 있어도 북한으로 다시 보내져서는 안 되었다. 만일 중국이 전 씨를 북한에 송환한다면 우리 국민의 중국에 대한 감정에 악영향을 끼칠 것이 확실했고, 이 일을 담당하고 있는 주중대사관도 비난을 면치 못할 것이었다.

나는 먼저 일을 시작하기 전에 하나님께 간절히 기도했다. 이 사건에 개입해서서 전 씨 부부가 조속히 한국으로 송환되도록 중국 정부의 마음을 움직여주실 것을 간구했다. 하나님께서는 내게 '아무 걱정하지 말고 담대하라'는 마음을 주셨다.

나는 우선 문제 해결에 있어서 가장 중요한 부서인 중국 외교부의 한 고위 관리에게 전화를 했다. 평소에는 절차상 다소 시간이 걸리는 통화가 그날따라 바로 이루어졌다. 나는 그에게 이 사안의 민감성과 중요성을 설명하고, 국군 포로를 가능하면 조속히 한국으로 보내달라고 요청했다. 그 인사는 내 말을 경청한 후 노력하겠다고 대답했다.

그 외에도 나는 가지고 있는 모든 채널을 동원했다. 그들은 모두 중국 유관 부서의 장차관급 고위 인사들이었다. 놀랍게도 그들과의 접촉이 순조롭게 이루어졌고, 얼마 지나지 않아 호의적인 반응들이 속속 들어왔다. 하나님께서 개입하고 계심이 확실했다. 나중에 중국의 한 고위 인사에게 들은 바에 의하면, 그때 조금만 늦었어도 전 씨는 북한으로 송환되었을 것이라고 했다.

11월 20일 목요일과 21일 금요일에 걸쳐 우리는 중국의 각 유관 부서와의 접촉을 강화하면서 실무 차원에서의 노력을 진행했다. 다음 날인 22일 토요일은 공휴일이었다. 그런데 이상하게도 그날 오전에 나는 다른 일로 앞에서 언급한 중국 외교부의 고위 관리를 만나게 되었다. 이야기가 진행되면서 자연히 국군 포로 문제도 협의하게 되었고, 나는 다시 한 번 중국 정부의 협조를 강력히 요청했다. 그는 협조에 있어서의 어려움을 토로했는데, 그것은 중국이 국군 포로를 북한이 아니라 한국으로 송환하고자 한다는 간접적이지만 긍정적인 신호였다.

본부에서는 이 사건이 한중 간 최초의 국군 포로 사건이라 송환에 상당한 시간이 걸릴 것으로 판단하고, 빨라야 다음 해 초쯤 해결될 것으로 예상했다. 그래서 대사관에도 비공식적으로 그런 입장을 전달했다. 당시 국내 언론들도 "국군 포로 전용일 씨 입국 장기화될 듯"이라는 제목으로 "전 씨가 분명히 위조 여권을 소지했고 동행인 가운데 조사받을 대상이 포함됐기 때문"이라는 정부 관계자의 말을 인용하면서 송환이 다소 장기화될 전망이라고 보도했다.

그러나 나는 이미 기도를 통해 전용일 씨의 조기 송환을 확신했기에, 내 나름대로 송환 목표를 2003년 12월 말로 정했다. 그리고 가능하다면 크리스마스에 귀국시킴으로써 우리 국민들에게 큰 기쁨을 주고 싶었다. 나는 그것을 위해 수없이 하나님께 기도했다. 그리고 기도할 때마다 주시는 말할 수 없는 기쁨과 평안으로 하나님께서 나의 기도를 들어주실 것을 확신했다. 그렇지만 중국 측에 처음부터 12월 말에 보내달라고 하면 행정 절차 때문에 연내 송환이 불가능할 것을 대비해서 12월 중순까지 보내달라고 요청하기로 했다.

## 중국이 보낸 크리스마스 선물

얼마 후 다시 중국 외교부 고위 관리와 접촉하며 우리 국민들의 깊은 관심을 고려해서 전 씨를 12월 중순까지는 한국으로 송환시켜달라고 요청했다. 그는 즉답을 피하면서 노력은 해보겠지만 그렇게 빨리는 곤란하다는 반응을 보였다. 그러나 내가 계속 12월 중순 송환을 주장하자 그는 잘 알겠다고 대답했다. 나는 돌아와 시간이 날 때마다 기도했고, 그때마다 하나님께서는 걱정하지 말라는 확신을 주셨다.

그런데 이상하게도 그즈음 앞에 언급한 외교부 고위 관리와 다른 일로 거의 매일 통화를 하게 되었다. 그럴 때마다 나는 끊임없이 국군포로 문제를 제기하고 중국 정부의 협조를 요청하는 말을 덧붙였다. 그의 대답이 점점 부드러워져가던 어느 날, 마침내 그가 "지금 최선을 다하고 있으니 조금만 더 기다려달라"고 말했다.

이틀 후 중국 외교부에서 연락이 왔다. 중국 측이 전용일 씨의 한국 직송에 동의하며 가능한 빨리 송환하기로 했다는 것이었다. 그런데 연말이기 때문에 연내에 절차가 완료될 수 있을지 확답을 주기는 곤란하나 조속히 완료될 수 있도록 최선을 다하겠다는 내용이었다.

나는 곧장 이 일을 전담하는 박철주 서기관(현재 주유엔대표부 참사관)에게 지시했다.

"우리가 중국 측에 12월 중순 송환을 요구했지만, 중국 행정 절차상 쉽지 않을 것이니 최종 송환 목표일을 12월 24일로 생각하고 중국 측과 협상에 임하세요."

그런 가운데 청와대의 한 고위 인사가 내게 전화를 했다.

"만일 전용일 씨의 연내 송환이 가능하다면 중국 정부가 우리 국민들에 대한 크리스마스 선물로 24일에 송환해주면 더 좋을 텐데, 그게 가능할까요?"

"반드시 그렇게 되도록 노력하겠습니다."

그랬더니 그가 말했다.

"지금 김 대사의 말씀을 상부에 보고해도 되겠습니까?"

"네, 그렇게 하십시오."

우리는 12월 중순 송환을 목표로 계속 중국 측과 긴밀히 협의했다. 그러나 전 씨가 수용되어 있던 곳이 지방인 지린성(吉林省)이었기 때문에 여러 가지 이유로 송환 절차가 지연되어, 결국 당초 중국 측에 제의한 12월 중순을 넘기게 되었다. 그러자 중국 측에서 우리에게 조금만 더 기다려줄 것을 요청하면서 모든 절차를 신속하게 진행시켰다.

그래서 마침내 당초 목표했던 12월 24일에 전용일 씨 부부는 한국으로 송환되었다. 당시 언론들은 그의 귀환을 "뒤늦은 송환 총력전 결실", "50년 만에 돌아온 국군 포로 전용일 일병", "국군 포로 전용일 반세기 만에 입국" 등의 제목으로 환영했고, 다음과 같은 기사를 실었다.

지난 6월 북한을 탈출한 뒤 11월 중순 위조 여권을 소지한 채 한국에 들어오려다 중국 공안에 체포돼 억류 중이던 국군 포로 전용일(72) 씨가 24일 오후 중국항공(CA143) 편으로 옌지(延吉) 공항을 출발, 꿈에 그리던 조국 땅을 50년 만에 밟았다. 전 씨는 이날 인천국제공항에 도착, "50년 전 한국을 위해 복무하다 (북한군에) 잡혔다"며 "생을 두고 잊지 않던 조국에 돌아오게 돼 진심으로 기쁘다"고 말했다.

귀환이 성사된 후에 청와대 대변인은 이렇게 발표했다.

"노무현 대통령께서 '전용일 씨가 예상보다 빨리 귀환하게 되어 매우 기쁘며, 귀한 크리스마스 선물이 되었다'고 말했다."

그리고 앞서 내게 24일 송환을 부탁했던 청와대 고위 인사가 내게 전화를 했다.

"중국 정부가 크리스마스에 우리 국민들에게 좋은 선물을 주어 정말 감사합니다. 대통령께서도 이번에 주중대사관 활동에 대해 매우 높이 평가하고 계십니다."

나는 그날 저녁 하나님께 깊은 감사의 기도를 드렸다. 그리고 국군 포로 송환 사건으로 인해 고생한 대사관 직원들과 본부와 유관 부서 직원들과 한중 관계를 중시하여 전 씨에 대한 사실 조사 등 사법 절차를 생략하고 크리스마스에 한국으로의 송환을 허가한 중국 정부 지도부와 외교부를 비롯한 유관 부서의 책임자와 실무자들을 축복해주실 것을 간절히 기도했다.


## 기도하라 그리하면 다 해결될 것이라

2008년 1월 2일 오전에 대사관 시무식을 했다. 그날 오후에 천성환 비서관(현재 주인도대사관 1등 서기관)이 집무실에 들어와 말했다.

"캐나다 토론토에 있는 큰빛교회 임현수 목사님이 전화하셔서 대사님의 이메일 주소를 알려달라고 하는데요?"

나는 비서관에게 생각해보겠으니 잠시 나가 있으라고 말했다. 하나님께 기도했더니 알려주라는 마음을 주셔서 비서관에게 알려드리라고 지시했다.

그날 밤 관저에 돌아와서 하나님께 여쭈었다.

'왜 목사님이 제 메일 주소를 달라고 했습니까?'

그랬더니 하나님께서는 그가 처한 형편에 대해 말씀해주셨다.

다음 날 오후에 목사님이 나에게 이메일을 보내왔다. 2007년 11월에 한국계 캐나다 목사가 북한에 들어갔는데, 두 달이 넘도록 소식을 알 수 없으니 대사관에서 중국 측을 통해 도움을 받을 길이 있는지 알아봐달라는 내용이었다. 나는 그날 여러 가지 신년 행사와 일정을 마치고 집에 돌아오자마자 임 목사님에게 메일을 보냈다.

보내주신 메일은 잘 받았습니다. 어제 비서관으로부터 목사님께서
제 이메일 주소를 원하신다는 보고를 받고 메일 주소를 알려드리라
고 한 다음, 목사님의 이메일을 받기 전인 어젯밤(1월 2일)에 왜 저와
연락하시려는지 주님께 물었습니다. 그때 제가 받은 말씀은 아래와
같습니다.

큰일 났습니다. 이를 어찌하면 좋습니까?
저를 도와주시옵소서.

사랑하는 종아, 지금 네가 너무 당황하고 놀라고 있도다.
그러나 너는 침착할지어다.
너는 두려워 말고 겁내지 말지어다.
내가 이미 너의 기도를 들었으며,
너의 간구를 해결해줄 것이니,
너는 아무런 염려도 하지 말지어다.
너는 기도하라.
이제 네가 걱정하는 문제가 풀리기 시작할 것이니,
아무런 걱정도 하지 말지어다.
너는 단지 기도하라.
그리하면 다 해결될 것이라.

이메일을 보내고 약 3주가 지난 어느 날 인터넷에 뉴스 속보가 떴다. 북한 당국에 구속되었던 한국계 목사가 석방되어 베이징을 경유해 서울에 도착한다는 기사였다. 임 목사님이 걱정한 바로 그 목사였다. 얼마 후 석방된 그 목사님이 나에게 메일을 보내왔다.

토론토 큰빛교회 임현수 목사님의 이메일을 통해 장로님을 알게 됐습니다. 저는 북한에서 오랫동안 감금되어 있었지만, 수많은 사람들의 중보기도의 도움을 받아서 회생했습니다. 지금은 중보기도의 위력과 아버지의 크신 사랑을 다시 깨닫고 새로운 믿음생활을 하고 있는 중입니다.
저는 장로님께서 임 목사님에게 드린 글을 보고 놀랐습니다. 제가 기도와 찬양을 드릴 때 장로님이 하나님께로부터 그 기도 응답을 글로써 정확하게 받았다는 것이 참으로 신기한 사건이라고 생각합니다.
장로님의 기도 응답을 다시 읽고, 깊이 생각하면서 오늘날에도 구약 성경에서 볼 수 있는 기도 응답이 있다는 것을 경험하고 아버지께 찬양을 드립니다.

나는 이 사건을 보면서 깊은 감동을 받았다. 또 이 일을 통해 하나님께서 자기를 사랑하는 자들을 눈동자처럼 지키고 계시다는 것을 다시 한 번 확인할 수 있었다.

주께 피하는 자들을 그 일어나 치는 자들에게서 오른손으로 구원하시는 주어 주의 기이한 사랑을 나타내소서 나를 눈동자같이 지키시고 주의 날개 그늘 아래에 감추사 시 17:7,8

## 확실한 증거를 보여주시다

2010년 10월 27일에 서울 사랑의교회 초청으로 '고(故) 옥한흠 목사님 추모 특별 새벽기도회'에 가서 간증을 하게 되었다. 전날인 26일 밤에 간증 준비를 하면서 하나님께 기도했다.

'하나님, 제가 내일 캐나다 목사님에 관한 간증을 해도 좋을까요?'

그런데 하나님은 그 내용을 포함시키지 말라는 마음을 주셨다. 그래서 그 일을 빼고 내가 경험한 다른 일들을 간증했다. 예배를 마치고 집에 돌아왔는데, 교회 측에서 교역자들이 강력히 원하니 또 한 번 와 달라는 요청이 왔다. 그래서 이틀 후인 29일 새벽에 간증을 한 번 더 하기로 하고, 전날 밤에 하나님께 기도했다.

'하나님, 저번에 임 목사님 관련 간증을 하지 못했는데 내일 가서 하면 어떨까요?'

하나님께서 이번에는 하라는 마음을 주셨다. 그래서 다음 날 새벽에 토론토 큰빛교회 목사님에게 보낸 메일 사본과 북한에서 억류되었던 목사님이 내게 보낸 메일 사본을 가지고 갔다. 교회에 도착해서 잠시 담임목사님 방에서 기다리다 본당으로 들어가려는 데 거기에 큰빛교회 임현수 목사님 부부가 서 있었다.

내가 깜짝 놀라서 목사님께 물었다.

"아니, 목사님! 여기 어떻게 오셨습니까?"

"제가 며칠 전에 한국에 왔는데, 어제 사랑의교회 부목사님하고 통화하는 중에 오늘 특별 새벽기도회에서 장로님께서 간증하신다는 얘기를 듣고 잠을 자지 않고 기다리다가 이렇게 왔습니다."

그날 나는 이 이야기를 첫 번째 간증으로 하고 나서 이렇게 말했다.

"지금 이 자리에 앉아 계신 사랑의교회 성도님들 중에 제 얘기를 듣고 '설마 그런 일이 가능할까? 저 이야기가 진짜일까?' 하고 의심하는 분이 계실지도 모릅니다. 하나님께서는 이미 그러한 마음을 아시고, 제 이메일을 받으신 토론토 큰빛교회 목사님을 이 자리에 보내주셨습니다."

그 순간 교인들이 "와아!" 하고 탄성을 내었다. 아마 많은 사람들이 하나님의 살아 계심에 놀라고, 전율을 느꼈을 것이다. 하나님께서는 예배에 참석해 간증을 듣는 교인들이 무슨 생각을 하는지 아시고, 그들에게 성령이 어떻게 역사하시는지를 확실히 보여주셨다.

## 교회 지붕 위에 뜬 쌍무지개

내가 2009년 2월 11일에 통일부 장관을 그만두고 은퇴했을 때 임목사님이 가장 먼저 연락을 해오셨다. 목사님은 몇 년 동안 성전을 건축하여 5월에 입당을 하는데, 새 성전 입당기념 첫 집회의 강사로 나를 초청하고 싶다고 했다. 나는 기도한 후에 목사님의 초청에 응하기로 하고, 캐나다 토론토로 갔다. 그리고 5월 30일에 아내와 함께 입당

예배에 참석하기 위해 큰빛교회로 갔는데 교회에 도착하기 직전에 갑자기 강한 바람이 불면서 비가 내리기 시작했다. 우리는 빗속을 뚫고 교회로 들어갔다. 수천 평의 대지 위에 새로 세워진 교회는 정말 아름다웠다. 나는 임 목사님과 함께 교회 내부를 돌아보는 내내 하나님께서 교회와 성도들을 축복해주시기를 기도했다.

예배가 시작되고 두 시간 정도 간증을 했는데 2천 명이 넘는 교인들이 뜨거운 반응을 보여주었다. 내가 간증을 마치자 임 목사님께서 교회 지붕을 덮고 있는 아름다운 쌍무지개가 찍힌 사진을 광고 시간에 보여주었다. 우리가 교회에 도착하기 전에는 비바람이 몰아쳤는데, 내 간증이 시작되자마자 하늘에 쌍무지개가 떠서 교회 사역자들이 촬영했다는 것이다. 그 무지개는 큰빛교회에 대한 하나님의 놀라우신 약속을 보여주신 증표였다.

나는 다음 날 한 번 더 간증을 하고, 6월 1일에 토론토를 떠났다. 캐나다에서 돌아와 알게 되었는데 그런 큰 교회 입당예배는 주로 대형교회 목사님이나 원로 목사님이 초빙되는 것이 관례라고 한다. 나 같은 장로가 와서 간증하는 것은 아주 드문 일이라는 말을 들으면서 다시 한 번 임 목사님의 사랑과 배려에 감사했다.

**토론토 큰빛교회에서 온 편지**

수년 전 베이징 코스타(KOSTA)에 강사로 갔을 때 학생들과 함께 앉아 대사님의 간증을 들으면서 놀라운 은혜와 도전을 받았다. 나 역시 강사로 갔지만 그 기억이 전부라고 할 수 있을 정도로 김하중 장로님과의 만남은 '신적 만남'(divine encounter)이었다.

그 후로도 장로님과의 인연은 간접적이지만 가나안 농군학교를 통하여 계속되었고, 중국을 비롯한 북방 선교에 집중하고 있는 우리 교회 사역에도 큰 힘이 되어주셨다. 특히 2008년에 우리 교회와 함께 동역하고 있는 A선교사님이 북한에 억류되었을 때를 잊을 수 없다. 나는 너무 마음이 아프고 답답하여 결국 당시 주중대사로 재직하시던 장로님께 연락을 드렸다. 캐나다 대사관에 찾아가서 호소해도 별다른 진전이 없었고, 북한 관리들에게 부탁해도 아무런 도움이 안 되어서 대사님의 도움을 청하게 된 것이다.

그때 대사님께서 두려워 말라는 말씀과 함께 곧 좋은 소식이 있을 것이니 염려하지 말고 기도만 하고 기다리라는 내용의 메일을 보내주셨다. 그로부터 2주가 조금 지난 후 A선교사님은 억류 83일 만에 풀려나셨다. 나는 이런 일을 겪으면서 기도의 능력을 새롭게 알게 되었고 중보기도의 중요성에 대해 다시 깨닫게 되었다. (중략)

장로님이 통일부 장관직에서 떠나신다는 소식을 듣고 우리 교회 입당예배 간증을 부탁드렸을 때 허락해주셔서 얼마나 감사했는지 모른다. 당시 우리 큰빛교회는 평신도 선교사 시대를 열고, 전문인 자비량 선교사 시대 그리고 평신도 사역자를 세우는 교회로 새롭게 도약하고자 하는 시점이었다. 이런 목표를 이루기 위한 큰 과제가 강사 초청이었다. 그때 가장 합당한 분이 장로님이었는데, 정확한 시기에 장로님께서 먼 길을 기쁨으로 와주셨다.

장로님의 간증은 교회 홈페이지에 있는 동영상을 통해 북미는 물론 국내에 있는 성도들과 전 세계 수많은 사람들이 듣고 큰 은혜를 받았다. 김하중 장로님이 하늘의 인도를 받으시며, 이제는 하나님의 대사로서 천국 복음을 선포하시고 하나님나라를 증거하시는 모습이 정말 아름답다.

임현수 목사님은 북한을 품고 눈물로 기도하는 분이다. 나는 지금까지 수많은 국내외 목회자를 만나보았지만, 임 목사님처럼 북한을 사랑하고 그 땅을 위해 헌신한 분을 만나보지 못했다. 목사님은 17세부터 북한을 품고 기도하기 시작해서 수없이 북한에 방문하며, 지금까지 2만 톤 이상의 식량을 보냈고, 북한의 농업과 교육, 수산 및 의료 분야에 많은 사업을 추진해오셨다. 단순히 말로만 사랑한다고 하는 것이 아니라, 실질적으로 돕기 위해 갖은 노력을 하는 것을 보면서 나는 하나님께서 큰빛교회와 임 목사님을 축복하실 것이며, 특히 앞으로 북한과 관련해 목사님을 크게 들어 쓰실 것을 확신하고 있다.


## 그는 못 올 것이다

내가 주중대사로 있던 어느 해 초였다. 중국 정부의 '보아오 포럼'(Boao Forum for Asia, 아시아지역경제포럼) 사무국에서 대사관으로 초청장을 보내왔다. 이 포럼은 매년 4월경 중국 하이난성(海南省) 보아오(博鰲)에서 개최되는데, 한국의 국무총리가 참석해 기조연설을 해줄 것을 요청하는 내용이었다. 이 초청의 건을 보고한 지 2주 정도 지났을 때,

통상교섭본부에서 보아오 포럼에 총리가 참석할 예정이니 포럼 사무국에 통보하고, 그때까지 확인된 주요 일정과 중국을 비롯한 각국 정부의 주요 참석 예정자 등을 보고하라는 지시가 왔다.

본부로부터 지시를 받은 날 밤에 나는 하나님께 기도했다.

'하나님, 이번 포럼에 총리가 온다고 하는데 그의 방중(訪中)을 축복해주십시오. 그리고 본부에서 포럼 사무국에 통보하라고 지시했으니 통보하겠습니다.'

그런데 하나님께서 통보하지 말라는 마음을 주셨다. 하지만 나는 총리가 오시는데 통보를 하지 않으면 준비를 할 수가 없으니 그의 중국 방문을 축복해달라고 간구했다. 하지만 하나님은 동일한 마음을 주셨다.

'그는 못 올 것이다.'

다음 날 아침에 기도했을 때도 계속 하나님께서는 총리가 오지 못할 것이라는 마음을 강하게 주셨다. 나는 만약 중국 측에 통보하고 나서 기도대로 총리가 정말로 오지 못하는 일이 생기면 외교적으로 큰 결례인데 어떻게 할까 고심하다가, 시간적으로 여유가 있으므로 일단 시일을 두고 추이를 지켜보기로 했다.

그리고 이 일을 담당하는 조세영 경제참사관(현재 주일대사관 공사참사관)과 양중모 경제과장(현재 외교통상부 심의관)을 불러 지시했다.

"어제 통상교섭본부에서 두 달 후에 열리는 보아오 포럼에 총리가 참석하겠으니 포럼 사무국에 통보하라는 지시가 왔지요. 그런데 중국 정부에서 아직 원자바오(溫家寶) 총리의 참석이 불투명하고, 다른 나라에서도 총리급 이상 인사로서 방중이 확정된 데가 거의 없습니다. 이런 상황에서 우리 총리의 참석을 공식 통보하는 것은 다소 이른 것 같아요. 그러니 중국 총리의 참석이 확정된 후에 총리 참석을 중국 정부에 공식 통보하는 것이 바람직하다고 본부에 건의하세요."

그날 오후 대사관에서는 이와 같은 내용을 본부에 보고했다. 얼마후 다시 통상교섭본부로부터 지시가 왔다.

총리가 포럼에 참석한 후에 다른 나라를 방문할 예정이기 때문에 포럼 참석을 조기에 확정할 필요가 있음. 그래서 총리의 포럼 참석 및 기조연설을 추진하고자 하니, 포럼 사무국에 총리의 방문을 공식으로 통보하고 협의 바람.

또한 여기에는 중국 측에서 참석하는 총리급 인사와 양자회담을 추진하고자 하며, 다른 나라 정상급 인사들이 정해지는 대로 양자회담을 개최할 예정이니 참고하라는 내용도 포함되어 있었다.

나는 하나님께 다시 간절히 기도했다.

'하나님, 총리가 꼭 오겠다는데 어떻게 하면 좋겠습니까? 이제 통보를 해야 하지 않겠습니까?'

그렇지만 하나님께서는 계속 통보하지 말라는 마음을 주셨다. 몇번을 기도해도 답은 같았다. 나는 다시 경제참사관과 경제과장을 불러 중국 측에 총리 참석을 통보하지 말라고 지시했다. 그러나 통상교섭본부의 실무진들이 계속 대사관에 통보를 요구했다. 이런 본부의 요구에 담당자들도 그때마다 나에게 건의했다.

"대사님, 본부에서 계속 통보하라는 지시가 오는데 아무래도 해야 하지 않겠습니까?"

그럴 때마다 나는 같은 말을 할 수밖에 없었다.

"내가 책임질 테니 절대로 사무국에 통보하지 마세요."

통상교섭본부와 대사관 사이에 실랑이가 계속됐다. 본부로부터 요구를 받을 때마다 경제참사관과 경제과장은 나에게 와서 통보하도록 해달라고 건의했지만 나는 허용하지 않았다.

그렇게 열흘 정도가 지난 어느 날, 중국을 방문하겠다고 하던 그 총리가 갑자기 사임하는 일이 발생했다. 우리 간부들과 직원들은 물론이고 나도 속으로 너무나 놀랐다. 총리가 못 올 것 같다는 마음은 있었지만, 그가 그만두게 될 줄 누가 상상이나 했겠는가.


그도 못 올 것이다

며칠 후, 통상교섭본부에서 다시 연락이 왔다. 총리는 가지 못하게 되었으며 대신 외교통상부 장관의 참석을 추진하고 있다는 것이었다.

그날 밤 나는 다시 하나님께 기도했다.

'하나님, 말씀하신 대로 총리는 오지 못하게 되었습니다. 대신에 외교통상부 장관이 온다고 합니다. 그의 방중을 축복해주십시오.'

'그도 못 올 것이다.'

계속 기도했지만 못 올 것이라는 강한 확신만 들뿐이었다. 나는 지난번 총리 일도 있고 해서 이번에도 가능한 한 통보 시점을 늦추기로 했다.

다음 날 다시 경제참사관과 경제과장을 불러서 지시했다.

"이번에 장관도 못 오실 것 같아요. 그러니 본부에 다른 인사가 오시는 것이 어떻겠느냐고 연락해보세요."

그 후 통상교섭본부와 대사관 간에 '장관의 참석을 추진하라'와 '못 한다' 하는 실랑이가 다시 벌어졌다.

하루는 경제참사관이 내게 보고를 했다.

"조금 전 통상교섭본부 국제경제국장이 제게 전화해서 대사님께서 왜 그러시는지 모르겠지만 이번에는 계획대로 장관이 꼭 중국을 방문할 것이라고 강력하게 말했습니다. 그러니까 이제는 사무국에 통보하도록 허락해주시지요."

"글쎄, 그건 그 사람들의 계획이고, 장관은 이번에 절대 중국에 못 오세요. 그러니 더 이상 쓸데없는 말 말고 내가 지시하는 대로 하세요."

내가 너무 단호하게 말하니 경제참사관은 당황해서 내 방을 나갔다. 어쩌면 그는 이때 일로 인해 여전히 내게 서운한 마음을 가지고 있을지도 모른다. 하지만 나로서도 어쩔 수 없었다.

그러던 어느 날 본부에서 중국을 관장하는 아태국장이 중국에 출장을 왔다. 나는 국장과 점심을 하면서 이 문제에 관해 의견을 교환했다. 이 자리에는 대사관 경제참사관과 박은하 참사관(현재 컬럼비아대학 연수 중), 한광섭 참사관(현재 외교통상부 동북아국 심의관)이 동석했다.

"장관님은 금번 방중을 대사님이 왜 반대하시는지 의아하게 생각하고 계십니다. 그렇지만 장관께서 이번에 꼭 포럼에 참석해야 할 필요가 있다고 생각하고 계시니 대사님이 이해를 좀 해주시지요."

"내가 볼 때 여러 가지 상황이 장관께서 이번 포럼에 참석하시는 것은 적절하지 않다고 생각합니다. 그러니까 이번에 오시지 말고 다음에 가장 적절한 때에 오시라고 말씀드려주세요."

이 문제에 대해 내가 하도 확고하니까 국장도 "알겠습니다. 장관님께 그렇게 말씀드리겠습니다" 하고 돌아갔다.

그가 귀국하고 며칠 후 내게 전화를 했다.

"현재 본부에서 장관님 방중 문제를 계속 검토 중입니다. 대사님의 의견을 말씀드렸지만, 아무래도 장관님이 가시는 게 좋겠다는 쪽으로 의견이 모아지고 있습니다."

다음 날 국장이 또 전화를 했다.

"본부에서는 장관께서 보아오 포럼에 참석하는 것으로 결정했습니다. 대사님께서 이해해주시지요. 대신에 대사님의 입장도 있고 해서 베이징은 안 가시고 보아오에만 1박 2일로 다녀오실 예정입니다. 그리고 장관께서 대사님은 바쁘실 테니 보아오에는 내려오지 마시랍니다."

"아니, 내가 그렇게까지 설명을 했는데, 참 답답하군요. 알겠습니다. 그렇게 결정했다면 할 수 없지요. 중국 측에 장관이 오신다고 했다가 취소하면 외교적으로 결례가 아닙니까? 두고 보면 알겠지만 아마 결국 통보를 취소하게 될 겁니다."

나는 전화를 끊고 경제참사관과 경제과장을 불러서 지시했다.

"본부 의견이라고 하니 통보해주세요. 그러나 두고 보세요. 아마 며칠 지나지 않아 연락이 다시 올 거예요."

바로 그 다음 날이었다. 별안간 경제참사관과 경제과장이 내 방으로 뛰어들어 왔다.

"대사님! 큰일 났습니다."

"뭐가요?"

"장관님이 못 오시게 됐습니다."

"왜요?"

"대통령께서 그날 청와대에서 내년도 예산 배분 관련 연찬회를 주재하신다고 전 장관들에게 참석하라고 해서서 장관의 중국 방문이 취소되었답니다."

"대사님, 어떻게 이런 일이 있습니까?"

"내가 장관이 못 오신다고 했잖아요."

그들은 도무지 이해가 안 된다는 듯 머리를 설레설레 흔들었다.

그날 저녁 나는 하나님께 기도했다.

'하나님, 그동안 하나님께서 주신 마음대로 선포했는데 정말로 총리도 못 오고, 장관도 못 오게 됐습니다.'

하나님께서는 이런 사실을 많은 자들에게 말하라는 마음을 주셨다.

며칠 후 대사관 전체 직원회의가 있었다. 그 회의에는 70여 명의 외교관이 모두 참석했다. 나는 회의를 시작하면서 말했다.

"경제참사관과 경제과장, 이번에 총리와 장관이 오는 것과 관련해서 우리가 본부에 몇 번이나 의견을 보냈지요? 하부 기관이 상부에 뭔가 건의할 때는 현지에 그럴 수밖에 없는 이유가 있어서인데 상부 기관이라고 해서 현지 공관의 의견을 듣지 않고 일을 추진하다가 이런 일이 생겼잖아요. 오늘 본부에 전화해서 앞으로는 현지 대사관 의견을 존중해달라고 이야기하세요."

결국 그해 보아오 포럼은 다른 장관급 인사가 참석하는 것으로 마무리되었다.

하나님께서는 총리가 사임할 것이기 때문에 중국에 오지 못하며, 장관도 대통령이 주재하는 연찬회 때문에 오지 못할 것을 다 알고 계셨다. 총리나 장관이 온다고 통보했다가 방문이 취소될 경우 그로 인해 생기는 문제들로 내가 당황하지 않도록 지켜주신 것이다. 결국 하나님은 자신에게 무릎 꿇고 기도하는 자를 어떠한 경우에도 부끄럽게 만들지 않으신다는 것을 보여주셨다.

나는 그들이 나보다 더 높은 직위에 있는 사람들이기 때문에 내가 틀렸을 경우에는 틀림없이 내 입장이 아주 난처해질 것임을 알고 있었다. 그럼에도 하나님의 말씀에 순종하여 행동했기 때문에 하나님께서 살아 계심을 확인할 수 있었고, 훗날 이러한 이야기를 많은 사람들에게 전하게 됨으로써 하나님의 영광을 드러낼 수 있는 기쁨을 갖게 되었다.

그런즉 내가 이스라엘 가운데에 있어 너희 하나님 여호와가 되고 다른 이가 없는 줄을 너희가 알 것이라 내 백성이 영원히 수치를 당하지 아니하리로다 욜 2:27

## 네가 아프면 되지 않느냐

2003년 9월 초에 나는 베이징 근처 한 대도시를 방문했다. 그 도시 시장과 면담을 마치고 오찬을 하게 되었는데, 시 정부에 요청하여 그 곳 한국상공인회(이하 한국상회) 회장과 한국인회 회장도 참석하도록 했다. 그 자리에서 한국상회 회장과 한국인회 회장은 시장에게 다음 해에 한국주간 행사를 개최하고자 하니 도와달라고 했다. 시장은 마 침 그 해가 도시 성립 600주년이 되는 해인만큼 한국주간 행사를 연계 한다면 좋은 효과가 있을 것 같다고 말했다. 시장과의 대화가 끝난 후, 한국상회 회장과 한국인회 회장이 나에게 말했다.

"대사님, 내년 한국주간 행사 때 꼭 좀 와주십시오. 대사께서 아무 리 바쁘시더라도 내년 8월 말 일정까지 잡혀 있는 것은 아니시겠죠?"

"그렇게까지 말씀하시니 가능하면 꼭 오겠습니다. 그러나 불가피 한 상황이 발생한다면 이해해주십시오."

이후 나는 생각날 때마다 그 행사를 위해 기도했다.

어느덧 시간이 지나 2004년 8월이 되었다. 나는 행사를 위해 본격적 으로 기도하기 시작했다. 그런데 8월 중순에 들어서면서 기도할 때마 다 하나님께서 그곳에 가지 말라는 마음을 주셨다.

'하나님, 제가 그동안 계속 기도하지 않았습니까? 행사가 얼마 남 지 않은 시점에 가지 말라고 하시면 저는 어떻게 합니까? 가도록 해주 십시오.'

'안 된다.'

그래도 나는 매일 몇 번씩 기도했다.

'하나님, 꼭 가야 됩니다. 가도록 해주십시오.'

'안 된다.'

'하나님, 가도록 해주십시오.'

'안 된다.'

행사는 8월 28일에 열리기로 되어 있었다. 8월 26일 아침이었다. 행사 참석 문제를 가지고 다시 기도를 하는데, 하나님께서 '네가 아프면 되지 않느냐?' 하는 마음을 주셨다.

'아! 이렇게까지 말씀하시는 것을 보면 내가 참석하면 안 좋은 일이 생긴다는 것인데, 그렇다면 아프다는 핑계를 대서라도 참석하지 말아야겠다.'

나는 그날 오후에 행사를 총괄하는 한국상회 회장에게 전화를 했다. 그리고 갑자기 몸이 아파서 어쩌면 행사에 참석하지 못할 것 같다고 말했다. 그는 내게 몸조리를 잘하라고 걱정하면서 가능하면 행사에 참석해달라고 요청했다.

그날 저녁에 중요한 일이 있어 대사관의 유재현 정무참사관(현재 주칭다오총영사)과 노규덕 정무과장(현 주미대사관 참사관)이 관저로 왔다. 나는 그들의 보고를 받은 다음, 본부에 보고할 내용을 알려주고 보고서를 작성하라고 지시했다. 보고서가 준비되기를 기다리며 나는 소파에 비스듬히 기대어 눈을 감고 있었다.

새벽 1시쯤 되었을 때, 보고서를 끝낸 노 과장이 내게 와서 말했다.

"대사님 보고서가 다 준비되었습니다."

"…"

나는 대답하지 않고 가만히 있었다.

"대사님, 보고서가 다 준비됐습니다."

나는 눈을 뜨지 않은 채로 물었다.

"뭐가 됐다고요?"

"보고서가 다 준비됐습니다."

"아, 보고서? 내가 지시한 대로 잘 만들었지요?"

"네."

"그럼 됐어요. 나 지금 아파서 볼 수가 없으니 그대로 보고하세요."

"아니, 조금 전까지도 괜찮으셨는데 어디가 편찮으세요?"

"그래요. 별안간 좀 아파요."

나는 계속 눈을 감은 채 말했다.

"내가 말한 대로 만들었으면 더 이상 안 봐도 되니 가서 보고하세요."

두 사람은 할 수 없이 보고서를 가지고 돌아갔다.

다음 날 나는 모든 일정을 취소하고 아무도 만나지 않았다. 그리고 조환복 경제공사(현재 주멕시코대사)와 석동연 정무공사(현재 경기도 자문대사)에게 내가 몸이 아파 못 갈 것 같으니, 석 공사가 다른 직원들과 함께 가서 한국주간 행사에 참석하라고 지시했다.

8월 28일 아침에 석 공사가 나를 대신해 직원들과 그 도시에 가서 행사에 참석했다. 그날 밤 한국상회 회장이 나에게 전화를 했다.

"대사님이 아프시다고 들었는데 괜찮으십니까? 석 공사를 비롯한 직원들이 많이 와주어서 행사를 성공적으로 치렀습니다. 회장으로서 처음 준비한 행사에 대사관에서 많이 도와주어서 정말 감사합니다.

어서 쾌차하십시오."

조금 후에 석 공사와 함께 갔던 대사관 간부에게서 전화가 왔다.

"대사님, 꾀병이시죠?"

"무슨 소리예요?"

"대사님, 오늘 여기 안 오시기를 정말 잘하셨어요."

"왜요?"

"여기 오셨으면 아주 곤란하셨을 뻔했어요. 저희가 와서 보니까 대사님은 안 아프신 거예요. 대사님은 다 아셨던 거예요. 그렇지요?"

"아니, 지금 아픈 사람보고 무슨 소리하는 거요!"

며칠 후 그 행사에 참석했던 석동연 공사, 유주열 총영사, 장원삼 참사관(현재 외교통상부 동북아국장) 등과 함께 점심을 하면서 출장 결과를 들었다.

"이번에 대사님께서 별안간 행사에 불참하시게 되어 저희는 다소 걱정하는 마음을 갖고 갔습니다. 그런데 현지에 도착해보니 대사님께서 안 오시기를 정말 잘했다는 생각이 들었습니다. 저희들이 도착하니까 시 정부 관계자들이 '대사께서 어디 계시냐?'고 해서 안 오셨다고 하니까 '아! 정말 잘됐다, 감사하다'고 하는 겁니다. 무슨 소리냐고 했더니, 그 시와 자매결연을 한 한국의 큰 도시 시장이 이번 행사에 참석하기로 되어 있는데, 대사님이 오시면 서열 문제가 생겨 어떻게 해야 할지 아주 난감했다고 합니다. 그런데 대사님께서 어떻게 그런 자신들의 입장을 아시고 안 오셨느냐면서 오히려 감사를 표했습니다."

"그리고 한국에서 온 관계자들도 대사님이 오시면 자기네 시장과의 좌석 배치 등 여러 가지 부분에서 걱정을 많이 했는데, 마침 안 오신다니 정말 감사하다고 했습니다."

나는 그들의 말을 듣고 집에 돌아가 무릎 꿇고 하나님께 감사 기도를 올렸다. 하나님께서는 사랑하는 자의 기도를 들으시고 그가 조금이라도 불편한 상황에 처하지 않도록 인도해주셨던 것이다. 하나님의 이 사랑을 어떻게 감당할 수가 있겠는가!

그는 정직한 자를 위하여 완전한 지혜를 예비하시며 행실이 온전한 자에게 방패가 되시나니 대저 그는 정의의 길을 보호하시며 그의 성도들의 길을 보전하려 하심이니라 잠 2:7,8

## 사형수를 감화시킨 옥중 전도

2002년 5월부터 주중 한국대사관에 탈북자들이 들어오기 시작하면서 중국 전역에서 탈북자 문제가 일어나기 시작했다. 그런데 탈북자 문제의 배후에는 한국인들이 관여된 경우가 많아서 때로는 탈북을 도와준 한국인들이 체포되어 중국 감옥에서 형(刑)을 사는 경우가 종종 있었다.

한번은 탈북자들의 밀출국 문제로 한 한국인이 체포되어 징역형을 선고받고 중국 감옥에서 복역하게 되었다. 탈북자 관련 단체들이 그를 돕기 위해 대대적인 구명 운동을 벌여 국내 언론에서 큰 관심을 받았다. 사실 그는 평범한 직장인으로서 탈북자에 대한 남다른 사랑과 긍휼한 마음을 가진 하나님을 믿는 사람이었다. 우리 정부도 그의 구명에 깊은 관심을 가지고 중국 정부를 비롯한 다양한 채널을 통해 그를 조기에 석방시키려 노력했다. 그러나 비교적 큰 사안이었기 때문에 모든 과정이 쉽지 않았다.

나는 《하나님의 대사》 1권에 언급된 마약 제조 관련 사형수 문제를 함께했던 대사관의 이영백 참사관(현재 한국외국어대 초빙교수)과 이 문제를 상의하고, 어떻게 해서든지 그를 조기에 석방시키기로 했다. 나는 주로 중국 정부 고위 인사들과 접촉했고, 이 참사관은 수감자 본인을 면회하여 그를 격려하고 돕기로 했다. 우리는 1년 동안 최선을 다했다. 노력은 마침내 결실을 이루어 그 수감자는 언도받은 형을 사는 중간에 석방되어 한국으로 추방되었다.

그런데 이 참사관이 그를 면회하고 위로하는 과정에서 놀라운 일이 있었다. 그가 한국인 수감자를 면담하고 돌아와서 그 결과를 아래와 같이 기록했다.

나는 그(수감자)가 독실한 크리스천임을 알고 갔기에 우리는 처음이지만 만나자마자 서로 손을 잡고 눈물을 흘리며 기도할 수 있었다. 우리는 곧 옛 친구를 만난 듯 가까워졌다. 나는 그에게 감옥에서 통상 발생하는 언어 문제와 폭행 문제에 대해 물었다.
그는 처음에 두려운 마음으로 잔뜩 긴장하여 감방에 들어갔다고 한다. 그때 갑자기 한국말로 "한국 사람이오?" 하는 말이 들려왔다. 알고 보니 사형 선고를 받은 중국인이 한국말을 할 줄 알았던 것이다.

그 사형수가 그를 자기 옆자리에 기거하도록 배려하고 통역을 자청한 덕분에, 그는 중국인 재소자들로부터 심한 폭행을 당하지 않고 비교적 편히 지낼 수 있었다고 했다.

그 사형수는 처음에 그가 식사 기도를 하는 모습을 보고 무엇을 하는 것이냐고 묻더니 곧 자신도 따라서 기도를 했으며 나중에는 성경 공부도 함께하게 되었다고 했다. 그가 성경말씀을 설명하면 사형수가 이것을 중국어로 통역했는데, 그러는 중에 같은 방에 수감되어 있던 나머지 10명의 중국 죄수들도 모두 식사 때 기도를 하고, 예수님을 믿게 되는 놀라운 일이 일어났다고 했다.

또한 그는 작업장에서 나무로 십자가를 만들어 목에 걸고 다녔는데, 같은 방에 있던 수감자들이 이를 보고 모두 갖고 싶어 해서 그는 틈틈이 십자가를 만들어 같은 감방은 물론이고, 다른 수감자들에게도 나눠주었다고 했다.

나는 이 기록을 읽으면서 깊은 감동을 받았다. 그래서 공관장회의 참석차 서울에 잠시 들어갔을 때 내가 다니는 온누리교회에서 많은 사람들에게 이 일을 이야기했는데 듣는 사람 모두 깊은 감동을 받았다.

베이징으로 돌아와 이 참사관에게 서울에서 있었던 일을 말해주었고, 이 참사관은 한국인 수감자를 면회하러 가서 전했다. 그가 다시 이런 사실을 사형수에게 말했더니 사형수는 자신 같은 비천한 사람의 이야기가 서울에까지 소개되었다는 것이 참으로 감격스럽다고 했다고 한다.

그 후 사형수는 더욱 믿음이 깊어져 사형 당일에도 찬송가를 부르며 간수를 따라 순순히 형장으로 갔다고 한다. 다른 사형수들이 형장으로 끌려갈 때는 일반적으로 두 다리에 힘이 풀려 간수들의 부축을 받는다고 하는데, 그는 신앙의 힘으로 당당히 제 발로 걸어 나갔다고 했다.

그 한국인 수감자는 중국 정부의 특별 감형을 받아 한국으로 돌아갔다. 그는 비록 중국에서의 감옥 생활이 고달프고 힘들었으나 자신의 믿음이 크게 성장하고, 수감 중인 중국인들에게 예수 그리스도를 소개할 수 있었던 것은 하나님의 큰 은혜라고 말했다.

보통 이런 일이 발생하면 사람들이 정부나 대사관의 노력을 폄하하고 비난하는 일이 종종 있다. 그뿐 아니라 사건이 종료된 다음에도 이러쿵저러쿵 여러 말이 언론에 나오기 마련이다. 그런데 그는 다른 사람들과 달랐다. 조기 석방이 추진되는 과정에서 그의 부인은 국내 언론과의 인터뷰에서 "대사관에서 내 남편을 도와주는 걸 보면서 나라에 세금 내는 것이 아깝지 않았다"라고 말했다. 그리고 그가 조기 석방되어 돌아간 다음 국내 언론들이 취재하려 집요하게 노력했지만, 그는 끝끝내 아무런 말도 하지 않았다. 나는 그의 그러한 행동이 이후에 일어난 탈북자 문제에 매우 긍정적인 영향을 미쳤다고 생각한다.

오히려 그는 서울에 도착한 다음 나에게 전화해서 대사관에서 자신의 석방을 위해 헌신적으로 노력한 것에 대해 깊은 감사를 전했다. 내가 주중대사로 근무하면서 이와 관련된 일을 수없이 많이 했지만, 당사자로부터 감사 전화를 받기는 처음이었다.

하나님께서는 언제 어디서든지 영혼을 구원하기를 원하신다. 그래서 중국의 감옥에 들어간 자녀를 통해 중국 사형수의 영혼을 구하고 또 다른 많은 중국인들의 영혼을 구원토록 하셨다. 그리고 옥중에서도 복음을 전한 자녀를 축복하여 조기에 한국으로 돌려보내신 것이다. 또한 옥에 갇힌 그를 위해 기도하고 애쓴 나를 비롯한 주중대사관이 어려움에 처하지 않도록 그가 석방 후에 아무 말도 하지 않도록 해주셨다.

나는 지금 그가 어떻게 지내고 있는지 모른다. 그러나 틀림없이 하나님의 축복 속에서 즐거운 삶을 살아가고 있을 것으로 믿는다.

주의 약속은 어떤 이들이 더디다고 생각하는 것같이 더딘 것이 아니라 오직 주께서는 너희를 대하여 오래 참으사 아무도 멸망하지 아니하고 다 회개하기에 이르기를 원하시느니라 벧후 3:9

### 외교관도 등급을 매긴다면 9단입니다

우리나라 국회에는 통외통위위원회(통일·외교·통상위원회)라는 게 있다. 통외통위는 통일부와 외교부 업무를 다루는 위원회이기 때문에 외교부 본부는 물론이고 해외에 주재하는 대사관들도 통외통위 위원들이 주재국을 방문하면 신경을 많이 쓰기 마련이었다.

2003년 가을, 본부로부터 국회 통외통위 대표단이 중국을 방문할 예정이니 중국 전인대(전국인민대표대회, 우리의 국회에 해당)와 접촉하여 일정을 주선하라는 지시가 왔다. 그러면서 통외통위가 대외 업무를 다루는 위원회이니 가능한 대로 중국의 외교부장과 공산당 대외연락부장(공산당의 외교부장 역할)과의 면담을 주선하라는 것이었다. 나는 그들과 아주 가까운 사이이긴 했지만 두 사람 모두 장관이었기 때문에 면담을 주선하기가 쉬운 일은 아니었다. 그러나 통외통위 대표단의 중국 방문도 흔한 일은 아니었기 때문에, 나는 두 사람과의 면담이 이루어지고 모든 일정이 성공적으로 진행되기를 하나님께 간절히 기도했다.

나는 먼저 공산당 대외연락부장과 접촉하여 우리 대표단을 면담해 줄 것을 요청했다. 그는 처음에 선약이 있다고 하며 난색을 표했으나 내가 통외통위 대표단의 중요성을 설명하며 재차 요청하자 약속을 뒤로 미루고 시간을 내어주었을 뿐만 아니라 오찬까지 주최하겠다고 했다.

대표단이 북경에 도착한 다음 날 오전에 나는 대표단과 함께 공산당 대외연락부로 갔다. 대외연락부장은 우리 대표단과 인사를 한 다음 자리에 앉자마자 말했다.

"저는 공산당 대외연락부장입니다. 이 자리에 계신 한국 국회의원들의 중국측 카운터파트는 전인대입니다. 그러니까 사실 저는 여러분과 직접적인 연관이 없으며 꼭 만나야 할 이유도 없습니다. 또 저에게는 선약이 있었습니다. 그런데 며칠 전 김하중 대사로부터 여러분을 꼭 만나달라는 요청을 받았습니다. 그래서 저는 일정을 미루고 이 자리에 참석했을 뿐 아니라 오찬도 주최하기로 한 것입니다.'

이에 대해 우리 대표단은 깊은 감사를 표했다. 그러자 대외연락부장이 내게 말했다.

"김 대사님, 이 정도면 앞으로 대사님 업무에 도움이 되겠죠?"

이 말을 들은 우리 대표단은 모두 깜짝 놀랐다.

이후 대표단은 전인대 부위원장을 비롯한 고위 인사들과 일정을 가진 다음, 이튿날 마지막 일정으로 리자오싱(李肇星) 외교부장(한국의 외교부 장관에 해당)을 면담하러 외교부로 갔다.

먼저 우리 측 위원장이 리 부장에게 함께 온 일행을 소개했다. 위원장은 바로 옆에 앉아 있는 나를 가리키며 말했다.

"김 대사는 잘 아실 테니까 소개해드릴 필요는 없겠고….”

그러면서 위원장은 대표단의 다른 인사들을 소개했다. 그중에는 국제 스포츠계에서 저명한 국회의원도 포함되어 있었다.

"저 분은 운동을 매우 잘하시는데, 태권도와 다른 호신술을 다 합치면 9단입니다."

우리 측 대표단의 소개가 끝나자 리 부장이 말을 시작했다.

"한국의 새로운 친구들을 많이 소개해주셔서 감사합니다. 그런데 김 대사에 대해 자세히 말씀하시지 않아서 제가 대신 소개를 하고자 합니다. 방금 위원장님께서 저 국회의원이 태권도를 비롯한 호신술 합계가 9단이라고 하셨는데 외교관에게도 그런 등급을 매긴다면 김 대사는 9단이나 9.5단에 속하는 분입니다.

김 대사는 뛰어난 인재가 많은 한국에서도 아주 보기 드문 인재입니다. 김 대사는 저보다 더 훌륭하게 중국어를 구사합니다. 김 대사가 중국어로 쓴 《떠오르는 용》은 아주 훌륭한 책입니다. 한국에서 김 대사의 이러한 점을 아시는 분들이 많지 않은 것 같아 제가 이렇게 소개를 드립니다."

면담을 마치고 돌아오는 자동차 안에서 위원장이 내게 말했다.

"나는 지난 20년 동안 국회의원 생활을 하면서 주로 통외통위에 속해 있었습니다. 그러면서 세계의 많은 나라들을 여행했습니다. 그러나 나는 지금까지 어느 나라를 가서도 그 나라의 외교부 장관을 비롯한 장관들이 우리나라 대사를 그렇게 높이 평가하는 것을 본 적이 없습니다. 김 대사님, 그동안 참 고생이 많으셨습니다. 앞으로도 나라를 위해 더욱 애써주십시오."

그분은 나를 격려하면서 여러 가지 좋은 이야기를 해주었다.

대표단이 중국을 떠난 다음 나는 집으로 돌아와 하나님께 감사 기도를 드렸다. 나는 대한민국을 대표하는 대사로서 중국의 외교부장이나 대외연락부장에게 그런 이야기를 해달라고 부탁할 수도 없고 또 부탁을 한다고 해도 그들이 그렇게 이야기할 리가 없다. 그럼에도 불구하고 그들이 우리 대표단 앞에서 그렇게 나를 높여준 것은 오직 나의 기도를 들어주신 하나님의 은혜라고밖에 달리 표현할 길이 없었다.

하나님이 이르시되 그가 나를 사랑한즉 내가 그를 건지리라 그가 내 이름을 안즉 내가 그를 높이리라 그가 내게 간구하리니 내가 그에게 응답하리라 그들이 환난 당할 때에 내가 그와 함께 하여 그를 건지고 영화롭게 하리라 시 91:14,15

## 대사관 참 잘 지었네

1992년 한중 수교가 타결되어 가는 과정에서 우리가 관심을 가진 것 중 하나가 주중대사관 부지였다. 우리 정부는 대사관 부지로 비교적 큰 땅을 필요로 했는데, 중국 측이 우리에게 제시한 곳은 현재 주중 대사관이 위치한 차오양(朝陽)구 제3 대사관 단지였다. 미국 대사관과 길 하나를 사이에 두고 있는 주중대사관은 미국 외에 일본 등 30여 개 주요 대사관들이 있는 3단지 내에서도 가장 큰 대사관 중의 하나로 대지가 15900제곱미터(약 4800평)이며, 건물은 연면적 16300제곱미터(약 4930평)에 달한다.

수교 후 정부에서는 주중대사관의 중요성을 고려해 수천만 불에 달하는 건립 비용을 예산에 책정하여 1997년 말에 설계를 마치고, 이듬해부터 공사를 시작하려는 즈음에 외환 위기(IMF)가 발생했다. 그래서 정부의 외환 사정을 고려하여 대사관 건립을 포기하고 예산을 국가에 반납했다. 그러다 내가 주중대사로 부임한 이후 외환 위기가 극복되어 정부의 재정 상황이 호전되었고, 중국에서 우리나라의 위상을 고려해서 정부에 대사관 건립을 위한 예산을 다시 요청하게 되었다. 그리고 마침내 2004년 3월에 착공식을 했다.

관례적으로 대사관은 짓는 사람이 따로 있고 쓰는 사람이 따로 있다. 건물을 짓는데 보통 2년 반에서 3년이 걸리고, 대사의 임기는 평균 3년이기 때문에 건물을 짓다가 떠나든지 아니면 짓더라도 청사에 못 들어가고 떠나게 되기 때문이다. 나도 '착공은 내가 있을 때 했지만 완공은 못 보고 가겠구나'라고 생각했다.

공사 예정 기간이 2년 6개월인데, 착공 당시 내 주중대사 근무 기간이 이미 2년 반이 되었기 때문에 내가 신축 대사관 개관식을 볼 가능성은 전혀 없었다.

하지만 나는 대사관이 끝까지 잘 지어지길 간절히 기도했다. 왜냐하면 해외에서 대사관이나 관저를 새로 지으면 항상 말이 많았기 때문이다. 잘못 지었다느니, 이상하게 지었다느니 하는 말이 끊임없이 돌았다. 나는 그것이 싫어서 대사관을 짓고 난 다음에 어떠한 말도 나오지 않고, 모든 사람들이 잘 지었다는 말만 하게 해달라고 하나님께 기도했다.

그런데 내 임기가 계속 연장되면서 대사관 완공 예정인 2006년 9월이 되었다. 대사관 신청사 개관식을 10월로 잡고 있었는데 갑자기 노무현 대통령의 중국 공식 방문이 추진되기 시작했다.

그러던 어느 날 청와대에서 연락이 왔다. 대통령께서 대사관 신청사 개관식에 참석하실 예정이라는 것이었다. 대사관 신청사 개관식에 그 나라 국가원수가 참석하는 것은 굉장히 이례적이었다. 우리나라의 경우도 그때까지 대통령이 해외 대사관 개관식에 참석한 경우가 없었고, 중국에서도 그런 전례가 없다고 했다. 나는 이때부터 대통령이 개관식에 오셔서 '대사관을 참 잘 지었다'고 말씀해주시기를 기도하기 시작했다.

2006년 10월 13일 오전에 노무현 대통령께서 중국에 도착했다. 도착 직후 후진타오 주석과 정상회담에 이은 오찬을 하고, 오후에는 우방궈(吳邦國) 전국인민대표대회 상임위원장과 원자바오 총리를 만나고 난 다음에 바로 대사관으로 오셨다. 그날 개관식은 중국 정부를 대표한 리자오싱 외교부장과 추이톈카이(崔天凱) 부장조리 등 중국 인사 60여 명과 베이징을 비롯해 중국에 있는 한국인 주요 인사 약 80명, 대사관 직원 등 200여 명이 참석한 가운데 아주 성대하게 치러졌다.

첫 순서로 주중대사인 내가 부지를 어떻게 얻게 되고, 어떻게 짓게 되었는지, 그 과정에서 중국 정부가 어떻게 도와주었는지 등의 경과 보고를 했다. 이어서 중국 외교부장이 축사를 했다. 다음으로 노무현 대통령의 축사가 예정되어 있었다.

대통령께서 단상 연설대에 서서 말씀하셨다.

"제가 연설을 하기 전에 먼저 한마디 해야겠습니다."

모두들 무슨 말씀을 하실까 주목하고 있었다. 대통령은 대사관 건물을 다시 한 번 쭉 쳐다보시며 말씀하셨다.

"대사관 참 잘 지었네! 건물도 참 잘 짓고, 저 소나무도 기가 막히네요. 한국에서는 저걸 금강송이라고 하는데, 한국에서 가져온 건지 중국 소나무인지는 모르겠지만 기상이 아주 우렁찹니다. 대사관에서 졸졸졸 물소리가 들리는데 아주 풍치 좋은 계곡에 발을 담그고 있는 것 같습니다. 탁월합니다. 찬사를 보내지 않을 수 없습니다. 자, 그럼 이제부터 축사를 하겠습니다."

그러면서 대통령께서는 축사를 통해 주중대사관 신청사가 '한국 고유의 아름다움과 역동성을 잘 보여주는 건물'이라고 다시 한 번 극찬하셨다. 한국과 중국의 귀빈들 앞에서 한국 대통령이 대사관을 잘 지었다고 극찬을 했으니 그 말의 파급 효과는 대단했다.

이후 한국 사회는 물론이고 중국 사회에서도 주중 한국대사관을 잘 지었다는 소문이 급속하게 퍼졌다. 이 건물은 2006년도 우리나라 건설 업체가 해외에서 지은 건축물 가운데서 가장 잘 지은 건물로 최우수상을 받았다(2007년 12월 9일 자 《매일경제》 참고). 더욱 감사한 것은 이후 지금까지 대사관 건축에 대해 이러쿵저러쿵하는 이야기가 한 번도 나오지 않았다는 사실이다. 나는 새로 지은 대사관에서 1년 반이나 근무할 수 있는 기쁨도 맛보았다. 모든 것이 하나님의 은혜였다.

대통령께서 서울로 돌아가신 다음, 나는 다시 무릎 꿇고 내가 기도한 그대로 응답하신 하나님께 감사 기도를 드렸다. 또한 오랫동안 대사관 신축을 위해 헌신적으로 근무한 대사관과 관계 부처 직원들, 밤낮을 가리지 않고 훌륭한 공사를 해준 건설 업체를 축복해주시도록 기도했다.


## 원래 있던 곳으로 돌아갈 것이라

내가 주중대사로 부임한 2001년부터 한중 관계는 비약적으로 발전하기 시작했다. 하지만 당시 양국 관계는 주로 중앙정부 차원에서 이루어졌기 때문에 나는 한국과 중국의 실질적인 협력 관계를 더욱 강화하기 위해 양국 간 교류와 협력의 폭을 지방정부 간 협력으로 확산시킬 필요가 있다고 판단했다. 그래서 우리 정부에 특별히 요청하여 확보한 대규모 예산으로 2003년 10월부터 매년 두 차례씩 중국의 각 성(省)이나 직할시(直轄市) 정부와 공동으로 '한중 우호주간(友好週間)'

이라는 행사를 개최했다.

2006년에 우리는 중국 산시성(陝西省)과 안후이성(安徽省) 정부와 이 행사를 추진하기로 합의했다. 이에 따라 나는 11월 19일 140여 명의 무역투자사절단 및 문화공연단과 함께 산시성 성도(省都) 시안(西安)에 갔다. 산시성은 실크로드가 시작되는 출발지로서 과거 주(周), 진(秦), 당(唐) 나라 등 13개 왕조가 들어섰던 역사의 중심지로서 인구가 3700만 명 정도 되는 성이었다.

산시성의 당서기는 그가 2001년 가을 한국을 방문하기 전에 우리 대사관저에 와서 식사를 하기도 했고, 내가 산시성에 출장을 갈 때마다 만나곤 했던 나의 오랜 친구였다. 그래서 나는 산시성 행사를 준비하면서 계속 그를 위해 기도했다. 그리고 '성 정부(省政府)'의 실질적인 업무를 관장하는 대리성장(당시에는 성장이 없어 '대리성장代理省長'이 업무를 대행 중이었다)을 위해서도 기도했다. 시안으로 출발하기 전날 기도할 때 하나님께서 그 두 사람에 대한 말씀을 주셨다. 나는 그 말씀들을 가지고 시안으로 갔다.

시안에 도착한 19일 오후에 우리 일행은 대당부용원(大唐芙蓉園)이라는 영빈관 같은 곳으로 이동하여, 먼저 산시성 정부 지도자들과 면담을 가졌다. 이 자리에는 우리 측에서 유재현 주시안총영사 내정자(현재 주칭다오총영사), 김동선 산자관(현재 중소기업청장), 한광섭 참사관과 서울에서 온 무역투자사절단장을 비롯한 재중국 한국상회 회장과 주요 기업대표 10여 명이 참석했고, 성 정부 측에서 당서기와 대리성장, 부성장 등 주요 간부 20여 명이 참석했다. 우리는 한국과 산시성 간 관계를 어떻게 발전시킬지에 관하여 심도 있는 협의를 했다.

면담이 끝날 무렵 당서기가 면담이 아주 유익했다고 말하면서 자리를 옮겨 만찬을 갖자고 제의했다.

그때 내가 당서기에게 말했다.

"혹시 당서기께서 다른 곳으로 가십니까?"

당서기는 무슨 말인지 못 알아듣는 것 같았다. 내가 다시 말했다.

"제 말씀은 당서기께서 혹시 다른 성이나 기관으로 옮겨 가시느냐고 여쭤본 겁니다."

"저는 다른 곳에 가지 않습니다. 앞으로도 계속 여기서 일할 겁니다."

"그렇다면 다행입니다. 저는 당서기와의 우정을 생각해서 대규모 대표단을 인솔해서 여기까지 왔는데, 혹시라도 당서기께서 훌쩍 다른 곳으로 가버리시면 제 입장이 어려워질 것 같아 말씀드린 겁니다. 그런데 이렇게 많은 사람들 앞에서 안 가신다고 말씀하셨으니, 저는 그 말씀을 믿고 안심하겠습니다."

곧 우리는 만찬장으로 자리를 옮겼다. 성 정부가 주최한 환영 만찬에는 우리 측 대표단 150여 명과 중국 측 대표 50여 명이 참석했다. 식사를 하면서 당서기가 내게 물었다.

"아까 면담장에서 저에게 다른 곳으로 가느냐고 물으셨는데, 왜 그러셨습니까?"

"제가 여기 오기 전에 당서기를 위해 기도를 많이 했습니다. 그런데 어젯밤에 기도할 때 하나님께서 당신이 여기를 떠난다고 하시더군요."

깜짝 놀라는 그에게 내가 말했다.

"하나님께서 당신에게 좋은 일이 있을 것인데, 원래 있던 곳으로 돌아갈 것이고, 지금보다 더 큰 영광을 얻게 될 것이라고 하셨습니다. 머지않아 더 좋은 자리로 가실 것 같습니다."

당서기는 내 손을 잡고 자신을 위해 기도를 해주었다는 데 감동하며 깊은 감사를 표현했다.


## 영광을 가질 것이나 고난도 많을 것이라

만찬이 끝난 다음 우리 대표단은 시안 남문 광장으로 이동했다. 그리고 약 한 시간에 걸쳐 입성식(入城式)에 참석했다. 시안의 입성식은 산시성을 방문하는 최고 손님(VIP)에 대하여만 거행하는 의식으로, 역사적으로 산시성 측이 귀한 손님에 대한 극진한 예우를 다한다는 것을 상징하는 의식이었다. 입성식은 중국 고대의 예법과 당나라 시기의 예식을 결합하여, 시안시 고대 성벽을 배경으로 고안한 환영 의식이었다. 1989년 처음으로 시작된 이후 각국의 주요 지도자들이 산시성(시안시)을 방문했을 때에 거행해오고 있었다.

성 정부는 100명이 넘는 대규모 대표단이 산시성 방문한 점과 향후 한국과의 협력 관계 강화에 대한 열망 그리고 나와 당서기와의 특별한 친분 관계 등을 고려해 우리 대표단에게 파격적인 입성식을 거행해주었다.

산시성 우호주간 행사는 아름답고 장엄한 분위기 속에서 성공적으로 진행되었다. 우선 경제행사로 산시성 정부의 투자환경 설명회, 무역투자 상담회, 기술개발구 참관 등이 진행되었고, 문화행사는 사진전, 영화제, 문예공연 등이 진행되었다.

특히 11월 20일 저녁에 개최된 문예공연에는 당서기와 대리성장을 비롯한 산시성의 주요 지도자들이 대거 참석했으며, 1400여 명의 시안 주민들의 뜨거운 호응 속에 성황리에 개최되었다. 나는 당서기 및 대리성장 등과 계속 접촉하는 한편, 시베이대학(西北大學)에서의 강연과 현지 기자간담회, 교민간담회 등의 바쁜 일정을 소화했다.

21일 오후에 다음 행사 지역인 안후이성으로 출발하기에 앞서 나는 그동안 산시성 정부의 뜨거운 협조에 감사하는 표시로 대리성장을 비롯한 부성장 등, 성 정부 주요 인사 10여 명을 초청하여 오찬을 주최했다. 우리 쪽에서는 유재현 주시안총영사 내정자, 대사관의 김동선 산자관, 한광섭 참사관 등을 비롯한 대표단이 참석했다.

오찬이 시작되자 나는 산시성 정부가 베풀어준 호의와 적극적인 협조에 깊은 감사를 표하며 말했다.

"저는 오찬사를 길게 하지 않겠습니다. 다만 한 가지만 말씀드리고자 합니다. 제가 시안에 오기 전에 대리성장님을 위해 기도했습니다. 그런데 하나님께서 저에게 말씀하시기를 '이제 네게 좋은 소식이 있을 것인데, 네가 더 큰 영광을 얻게 될 것이요, 많은 사람들로부터 존경을 받게 될 것이라. 네가 영광을 얻게 되지만 고난 또한 많을 것이라'고 하셨습니다. 저는 하나님께서 축복하신 대로 머지않아 대리성장께 좋은 일이 있기를 바랍니다."

내가 자리에 앉자 대리성장이 일어서서 답했다.

"저는 지금 김 대사님의 말씀에 깊은 감동을 받았습니다. 김 대사께서 바쁘신 중에도 저를 위해 기도해주신 것에 깊은 감사를 드립니다. 저는 나라를 위해 봉사하는 사람입니다. 만일 나에게 그러한 영광이 주어진다면 나라를 위해 고난을 받는 것도 당연하다고 생각합니다. 앞으로 저에게 혹시라도 그런 일이 생긴다면 저는 기꺼이 고난을 감내할 것입니다.

그리고 한 가지 더 말씀드리고 싶은 것은, 이번에 140여 명에 달하는 한국 대표단이 산시성에 왔는데, 저희들은 한국 측이 1억 불을 투자해도 좋고, 아무런 결과 없이 그냥 돌아가시더라도 상관이 없습니다. 우리가 이번에 얻은 가장 큰 수확은 중국을 사랑하고 산시성을 사랑하는 대사님을 알게 되었다는 것입니다. 우리는 이번에 대사님을 알게 된 것을 가장 큰 기쁨으로 생각하고 있습니다."

오찬은 즐겁고 화기애애하게 진행되었다. 그리고 많은 일들이 이루어졌다. 오찬이 끝나고 우리가 떠날 때 대리성장을 비롯한 중국 측 인사들이 전원 도열하여 우리와 악수하고 박수로서 전송했다. 우리 대표단은 산시성과의 우호주간행사를 성공적으로 마치고 안후이성으로 출발했다.

그로부터 약 4개월 후인 2007년 3월 26일에 비서관이 내 방으로 들어왔다.

"대사님, 산시성 당서기와 대리성장이 발령이 났습니다."

"어떻게요?"

"당서기는 산둥성 당서기로, 대리성장은 산시성 성장으로 발령받았답니다."

알고 보니 산시성 당서기의 고향이 산둥성(山東省)이었으며, 그는 산둥대학(山東大學)을 졸업했다. 하나님께서 말씀하신 대로 그는 원래 있던 곳으로 돌아간 것이다. 그리고 산둥성은 인구가 9200만 명으로 산시성 인구 3700만 명의 두 배가 훨씬 넘는 큰 성이었다. 이로써 더 큰 영광을 받게 될 것이라는 말도 이루어진 것이다. 나는 바로 신임 산둥성 당서기에게 축하 편지를 보냈다.

먼저 귀하의 산둥성 당서기 임명을 진심으로 축하드립니다. 작년 11월에 제가 대표단을 이끌고 한국·산시성 우호주간 행사에 참석하여 연회석상에서 산시성에 오기 전에 귀하를 위해서 기도했는데, 하나님께서 '네가 이제 그곳을 떠나 원래 있던 곳으로 돌아갈 것이며, 지금보다 더 큰 영광을 얻게 될 것이라'고 말씀드린 적이 있음을 기억하실 것입니다. 귀하께서 산둥성 당서기로 임명됐다는 소식을 듣고 하나님의 축복이 실현된 것 같아 아주 기쁩니다.

나는 대리성장이었던 성장에게도 똑같은 편지를 썼다.

작년 11월에 제가 대표단을 이끌고 한국·산시성 우호주간 행사에 참석했을 때 귀하를 비롯한 산시성 정부 지도자들과 업무 오찬을 했습니다. 그때 제가 오찬사에서 산시성에 오기 전에 귀하를 위해 오랜 시간 기도했는데, 하나님께서 축복하시기를 '너에게 좋은 소식이 있을 것이다. 네가 더 큰 영광을 얻고 더 많은 존경을 받을 것이나 동시에 네가 많은 일을 부담해야 되기 때문에 매우 어려울 것이라. 네가 영광을 얻겠지만 많은 도전이 있을 것이라'고 말했을 때 성장님의 대답이 저에게 깊은 인상을 남겼습니다. 그때 귀하께서는 '만일 내가 영광을 얻을 수 있다면 나라와 인민을 위해서 당연히 고난받을 준비가 되어 있다'고 하셨습니다. 저는 귀하가 나라와 인민을 위해서 어려운 것을 감당하겠다는 그 정신을 지금도 잊을 수 없습니다.

귀하는 틀림없이 그때 제가 말씀드린 기도의 내용을 기억하시리라 믿습니다. 저는 귀하가 정식으로 성장에 임명되셨다는 소식을 듣고, 하나님의 축복이 실현된 것을 보면서 아주 기뻤습니다.

이후 한국과 산둥성, 한국과 산시성과의 관계는 날로 발전했다. 이는 우리나라를 사랑하시는 하나님께서 축복의 말씀을 통해 중국 지방 정부의 최고 지도자들의 마음을 감동시키셨기 때문에 가능한 일이었다. 하나님께서는 오늘도 자신이 사랑하시는 사람들을 여러 가지 방법으로 축복하고 계신다.

내 입에서 나가는 말도 이와 같이 헛되이 내게로 되돌아오지 아니하고 나의 기뻐하는 뜻을 이루며 내가 보낸 일에 형통함이니라 사 55:11

한국 대사관에 가서 배우라

내가 주중대사로 재임하는 동안 한중 관계 외에 중국에 거주하는 우리 교민들에 관련된 중요한 일이 한 가지 있었다. 그것은 대사관 영사부와 문화원에 관련된 업무였다. 나는 2006년 가을 어느 날에 중국어를 잘하고, 중국을 잘 아는 박영대 문화원장(현재 국립현대미술관 기획운영단장)과 이 문제를 어떻게 추진해야 할지를 상의했다.

박 원장은 해당 문제는 중국 정부의 유관 부서가 관장하기 때문에 그 부처의 협조를 받는 것이 중요하며, 특히 그 부처 담당 국장의 협조가 긴요하다고 말했다. 그런데 대사는 해당 부처의 장관이나 차관을 상대하기 때문에 국장을 직접 상대할 수가 없고, 그렇다고 문화원장이 현실적으로 국장의 적극적인 협조를 얻기도 어렵다고 했다. 나는 그날부터 그 부처의 국장을 위해 기도하기 시작했다.

그리고 시간이 흘러 12월 말이 되었다. 기도를 하는데 하나님께서 그 국장에 관한 말씀을 주셨다. 기도를 통해 그가 당시 아주 어려운 상황에 처해 있음을 알 수 있었다. 그를 위해 기도하는 내 마음에 답답함과 슬픔이 강하게 느껴졌다. 그러나 하나님께서는 그를 사랑하시기 때문에 위로하시고 축복하실 것을 약속하셨다. 문제는 그 내용이 다른 사람이 알면 곤란한 개인적인 사항이라는 것이었다. 나는 계속 그를 위해 기도하면서 그것을 어떻게 그에게 전달할까를 고심했다. 그러다 대략적인 기도 내용을 중국어로 잘 다듬어서 편지를 만들었다.

놀랍게도 하나님께서는 그 국장뿐 아니라 그의 부하 직원인 주무(主

務)과장에 관한 말씀도 주셨다. 그 또한 어려운 상황이었지만, 하나님께서 그를 위로하고 축복한다는 마음을 주셨다.

나는 문화원장을 불러 국장에 관한 기도문을 주면서 그의 상황이 급하니 먼저 전화로 설명을 해주라고 지시했다. 그리고 과장은 국장처럼 급하지 않으니, 나중에 시간이 날 때 전달하라고 말하며 기도문을 서류 봉투에 넣어서 문화원장에게 주었다.

오후에 문화원장이 전화로 결과를 보고했다.

"국장에게 바로 전화해서 '우리 대사님이 당신을 위해 기도하는 중에 하나님께서 주신 말씀'이라고 설명하고 기도문을 읽어주었습니다. 국장은 다 듣고 난 다음 고맙다면서 전화를 끊었습니다."

"그래요."

나는 전달을 받고 전화기를 내려놓았다. 그런데 잠시 후 문화원장에게서 다시 전화가 왔다.

"방금 대사님과 통화하고 난 후에 그 국장한테서 다시 전화가 왔습니다."

그러면서 문화원장은 그가 한 말을 전해주었다.

"그 국장이 '당신이 조금 전에 나에게 기도문을 읽어줄 때 너무 놀라 말을 못했습니다. 나와 만나 이야기를 해본 적도 없고, 나에 대해 전혀 알지 못하는 대사님이 어떻게 이렇게 내 처지를 정확히 아시는지 너무 놀라웠습니다. 그 기도문이 저에게 큰 위로가 됩니다. 그러니 대사님께 꼭 감사의 뜻을 전해주십시오'라고 울먹이는 목소리로 말했습니다."

몇 주가 지난 2007년 1월 중순에 문화원장이 와서 보고를 했다.

"대사님, 지난해 연말에 그 부처 과장을 만나 기도문을 전달했는데, 그날 그로부터 전화를 받았습니다. 기도문을 읽고 깊은 감동을 받아서 대사님께 감사한 마음을 꼭 전하고 싶다고 해서 제가 대신 그 뜻을 잘 전달하겠다고 했습니다."

그 후 몇 달이 흘렀다. 나는 그 국장을 위한 기도를 계속했다. 어느 날 하나님께서 다시 그에 관한 말씀을 주셨는데, 놀랍게도 그동안 일어났던 여러 가지 문제들이 다 해결된 것을 알 수 있었다. 그의 마음에 감사와 기쁨이 넘치는 것을 기도를 통해 느꼈다.

얼마 후 그 부처에 관련된 행사가 열렸다. 나는 혹시나 해서 중국어로 정리해둔 기도문을 가지고 행사장으로 갔는데 거기에 그가 와 있었다. 나는 그와 만나 반갑게 이야기를 나눈 다음, 준비한 기도문을 주고 나중에 집에 돌아가서 보라고 했다.

며칠 후 문화원장이 나를 찾아와서 말했다.

"오늘 그 국장에게서 전화가 왔습니다. 며칠 전에 행사장에서 대사님께서 기도문을 주셨는데 말할 수 없이 감사하다며 자기가 대사님께 도움을 드릴 일이 있는지 물었습니다. 그래서 얼른 대사님이 가장 관심을 갖고 계신 문제에 대해 말하고 앞으로 가능하면 여기에 관심을 가져달라고 부탁했습니다."

그 후 우리들이 가장 관심을 가지고 있던 문제들이 순조롭게 진행되기 시작했다. 그것은 곧 중국에 거주하는 우리 교민들에게 선한 영향을 미치기 시작했다.

얼마 후 문화원장이 또 와서 보고를 했다.

"오늘 어느 주요 국가의 대사관 직원들이 우리 문화원을 방문했습니다. 그들이 어떤 일을 추진하는데 중국 정부의 협조를 요청하기 위해 관계 부처에 찾아갔답니다. 그랬더니 중국 측에서 그 일은 먼저 한국대사관에 가서 어떻게 해야 하는지 방법을 배워가지고 오라고 했다면서 우리에게 그 방법을 가르쳐달라고 하지 않겠습니까?"

나는 문화원장의 말을 들으면서 한바탕 크게 웃었다.

나는 이 일을 통해 하나님은 사랑하는 자녀들이 자기의 유익이 아니라 이웃과 나라를 위해 기도하며 일할 때 그 기도를 반드시 들으신다는 것을 알았다. 그리고 그 문제에 관한 영향력을 가지고 있는 자들의 마음을 감동시키셔서 일이 잘되게 해주실 뿐만 아니라 기도하는 자녀들을 높여주심을 알 수 있었다. 이처럼 놀라우신 하나님의 사랑에 어찌 감사하지 않을 수가 있겠는가!

기록된 바 하나님이 자기를 사랑하는 자들을 위하여 예비하신 모든 것은 눈으로 보지 못하고 귀로 듣지 못하고 사람의 마음으로 생각하지도 못하였다 함과 같으니라 고전 2:9

## 기도로 맺은 우정

중국에 상주하는 외교단은 대사관과 국제기구를 포함하여 170여 개에 달한다. 이 중에서 가장 큰 기관은 역시 미국대사관이다. 당연히 미국대사의 위치도 매우 중요하다.

내가 중국에서 근무할 당시 미국대사는 란트 대사였다. 그는 부시 대통령의 예일대학교 동창으로 부시 대통령의 가장 가까운 친구였다. 그래서 부시 대통령은 대통령에 취임한 후 친구를 주중대사로 임명했다. 소문에 의하면 부시 대통령이 중국의 최고 지도자들에게 란트 대사는 앞으로 자신이 대통령직을 떠나는 날까지 주중대사로 있을 것이라고 소개했다고 한다. 소문대로 란트 대사는 부시 대통령이 취임한 2001년 여름에 주중대사로 부임하여 7년 반을 근무하다가 2009년 1월 20일, 부시 대통령이 퇴임하는 날 베이징을 떠났다.

나는 란트 대사보다 몇 개월 뒤인 2001년 10월에 중국에 부임하여 2008년 3월에 중국을 떠났으니, 그와는 6년 반이라는 기간을 같이 중국에서 근무한 셈이다. 중국에 와 있는 외국 대사들도 대부분 3년이면 중국을 떠났기 때문에 시간이 갈수록 우리는 자주 만나게 되었고, 그러다보니 더 가까워졌다.

그런데 우리를 더욱 가깝게 연결해준 것은 다름 아닌 기도였다. 우리는 만날 때마다 서로의 여러 문제에 관해 솔직한 이야기를 주고받았고, 나는 그를 위해 끊임없이 기도했다.

내가 주중대사로 있을 때 어떤 사람들은 이렇게 비아냥거렸다.

'김하중 대사는 중국에서 술도 안 하고 골프도 안 치면서 어떻게 외교를 하느냐.'

나는 술이나 골프보다 훨씬 강력한 것이 기도라고 생각한다. 자신의 지극히 개인적인 문제에 관한 이야기를 주고받으며, 서로를 위해 기도하여 형성된 친밀함은 공식적으로 맺은 어떤 관계보다 더 *끈끈해질* 수 있다. 특히 인간관계를 중요시하는 외교관에게 이보다 더 좋은 방법은 없을 것이다.

주중대사로 근무하는 동안 한국에서 워낙 많은 대표단과 사람들이 왔기 때문에 나는 외교단 행사에 거의 참석할 수가 없었다. 그래서 미국대사 등 주요국 대사 몇 명을 제외하고는 다른 나라 대사들과는 접촉할 시간이 별로 없었다. 한번은 주중 핀란드대사 부부와 식사를 하는데 한국 여성이었던 핀란드대사 부인이 우리에게 물었다.

"어떻게 미국대사와 그렇게 가까우세요?"

"왜요?"

"미국대사가 외교단 행사에 참석하면 항상 다른 나라 대사들에게 한국대사가 아주 훌륭한 사람이라고 극찬을 하거든요. 일반적으로 대사들은 자존심이 강해서 다른 나라 대사를 칭찬하기가 쉽지 않은데 미국대사가 김 대사님을 그렇게 높이 평가하는 이유가 뭔지 정말 궁금합니다."

그때 나는 그저 웃고 말았지만, 그 비결은 오직 그를 위해 기도한 것이었다. 란트 대사와 나는 공적으로나 사적으로나 어려움이 있을 때마다 서로의 어려움을 나누고 위로했다. 란트 대사는 미국에서 귀빈이 오거나 개인적으로 아주 중요한 모임이 있을 때 반드시 우리 부부를 초청했다.

중국에 있는 한국대사와 미국대사가 가까우니 양국 대사관 직원들도 자연히 좋은 관계를 유지하게 되었다. 그러다보니 탈북자와 6자회담을 비롯한 여러 가지 문제들에 있어 우리는 서로의 입장을 최대한 배려하고 존중하면서 대화로 해결할 수 있었다. 란트 대사와 기도를 통한 우정은 중국에서의 근무를 한결 수월하게 만들어준 중요한 요인이었다.

중국에서 대사로 있는 동안 나는 스웨덴대사와도 친하게 지냈다. 그는 아주 훌륭한 외교관이었다. 2000년 12월에 김대중 대통령께서 노벨 평화상 수상 후 스웨덴을 방문했을 때 나는 외교안보수석비서관으로서 스웨덴 외무성의 고위 간부였던 그와 만나 많은 이야기를 주고받은 적이 있었다. 그는 후에 스웨덴 총리를 수행하여 북한을 방문한 다음에 서울에 와서 나에게 방북 결과를 설명해주기도 했다.

2006년 9월에 그가 주중대사 임기를 마치고 중국을 떠나게 되어 나는 그 부부를 관저에 초청하여 송별 오찬을 주최했다. 오찬을 하기 전날 나는 하나님께 중국을 떠나는 그를 축복해주시기를 기도했다. 하나님께서 그를 축복하시는 몇 가지 말씀을 주셨다. 나는 그 말씀을 영어로 번역하여 주머니에 넣고 오찬장으로 갔다. 우리는 식사를 하면서 이야기를 나눴다. 분위기가 무르익었을 때 내가 물었다.

"스웨덴으로 돌아가시면 무엇을 할 예정입니까?"

그가 대답했고 내가 다시 물었다.

"요즈음 건강은 어떠십니까?"

그가 또 자신의 건강에 대해 말했다. 나는 다시 물었다.

"앞으로 여생을 어떻게 보내실 예정입니까?"

그가 다시 대답했다.

대화를 마치고 나는 가지고 있던 기도문을 그에게 주었다. 기도문에는 방금 그가 나에게 대답한 내용들이 그대로 씌어 있었다. 그는 기도문을 보고 큰 충격을 받은 것 같았고, 함께 그 기도문을 본 그의 부인도 놀라는 표정이었다. 그가 말했다.

"너무 놀랍습니다. 어떻게 이런 것이 가능하죠?"

그는 오찬 내내 상기된 표정으로 식사를 하고는 떠나기 전에 말했다.

"김 대사님, 정말 감사합니다. 저를 위해 기도해주신 것 영원히 잊지 않겠습니다. 그리고 이 기도문도 잘 간직하겠습니다."

그가 돌아가고 한참이 지났을 때 주스웨덴대사관 조대식 공사(현재 외교통상부 문화외교국장)가 나에게 이메일을 보내왔다.

며칠 전 세미나에서 4년간 주중대사를 지내고 두 달 전에 외무성으로 복귀한 전 스웨덴대사를 만났습니다. 베이징을 떠나기 전에 대사님께서 환송 오찬을 하시면서 자기를 위해서 기도해주고 기도문까지 적어주어서 깊은 감동을 받았다고 말했습니다. 하나님께서 대사님을 여러 모양으로 사용하고 계시다고 생각됩니다.

2009년 겨울에 주중 한국대사관의 어느 간부로부터 연락이 왔다. 어느 행사에 가서 한 스웨덴 인사를 만났는데, 그에게 한국대사관 간부라고 소개했더니 자신이 전직 주중 스웨덴대사였다고 하면서 "전에 김하중 대사에게서 기도문을 받은 적이 있는데 요즈음 어떻게 지내시는지 궁금하고 너무 보고 싶다"고 했다는 것이다.

얼마 전 그가 한국을 방문했다. 그는 주한 스웨덴대사관 공사와 함께 나를 찾아왔다. 그는 나를 만나자마자 자신이 아직도 그 기도문을 귀중하게 보관하고 있다고 하면서 또 감사를 표했다.

내가 아무리 좋은 음식을 대접하고, 아무리 좋은 선물을 주었다고 한들 그가 나를 이렇게까지 생각하겠는가. 기도의 힘은 참으로 강력하다.

그러므로 내가 첫째로 권하노니 모든 사람을 위하여 간구와 기도와 도고와 감사를 하되 임금들과 높은 지위에 있는 모든 사람을 위하여 하라 이는 우리가 모든 경건과 단정함으로 고요하고 평안한 생활을 하려 함이라 이것이 우리 구주 하나님 앞에 선하고 받으실 만한 것이니 하나님은 모든 사람이 구원을 받으며 진리를 아는 데에 이르기를 원하시느니라 딤전 2:1-4

Ambassador Of God

# 하나님께서
# 사랑하시는 사람들

하나님은 자신의 자녀를 사랑하신다.
그러나 그가 하나님의 뜻을 알아듣지 못할 때는
그에게 가까이 있는 자를 통해 회개하게 하시고 그를 도우신다.

- 
- 
- 

## 하나님은 자신이 사랑하는

자를 위해 구원을 예비하시는 분이다. 그리고 하나님의 말씀에 순종
하는 자들을 도우신다. 지금은 하나님을 믿지 않는다 하더라도 하나
님께서는 집 나간 둘째 아들을 기다리는 아버지와 같이 사랑의 마음
으로 기다리고 계신다. 반면에 한 집에 같이 사는 큰아들이라도 아버
지의 마음을 모를 수도 있다. 그러나 아버지께서 두 아들 각자에게 맞
는 사랑의 표현으로 대하는 것이 얼마나 감사한 일인가.

> 무릇 마음이 가난하고 심령에 통회하며 내 말을 듣고 떠는 자 그 사
> 람은 내가 돌보려니와 사 66:2

## 네가 칼날 위에 서 있노라

내가 주중대사로 일하던 어느 해 가을, 우리 정부의 한 고위 인사가 대표단을 이끌고 베이징에 왔다. 그는 정부 주요 기관의 기관장이었다. 그가 도착하는 날 대표단을 위한 환영 오찬이 예정되어 있어서 나는 아침 일찍 일어나 그를 위해 기도하고, 하나님께서 주시는 말씀을 가지고 오찬장으로 갔다. 그 자리에는 그를 수행하여 온 고위 간부들과 우리 대사관에 근무하는 그 기관의 주재관이 동석했다. 우리는 인사를 나누고, 식사를 하면서 중국과 한중 관계 등에 관해 이야기를 주고받았다.

식사 중에 내가 그에게 말했다.

"그런데 혹시 본인이 지금 칼날 위에 서 있다고 생각하지 않으세요?"

그가 깜짝 놀라 물었다.

"무슨 말씀이십니까?"

"제가 오늘 아침에 당신을 위해서 기도했는데 하나님께서 '네가 지금 영광된 자리에 앉아 있기는 하지만, 칼날 위에 서 있는 것 같아서 마음속에 걱정과 불안이 가득하다'고 하셨습니다."

그는 한참을 가만히 있다가 입을 열었다.

"대사님, 지금 저에게 말씀하신 내용과 제 현재 상황이 똑같습니다. 사실 제 아내가 기도하는 사람입니다. 몇 달 전부터 '당신이 지금 칼날 위에 서 있으니 조심하라'며 제게도 늘 깨어서 기도하라고 했습니다. 그런데 제가 워낙 바쁘다보니 기도를 못했습니다. 오늘도 집을 나서는데 아내가 같은 말을 하며 조심하라고 했습니다. 그런데 지금 대사님께서 제 아내가 말한 것과 똑같은 말씀을 하시니 너무 놀랍습니다. 대사님, 제가 어떻게 하면 되겠습니까?"

"무릎 꿇고 하나님께 기도하십시오. 그러지 않으면 앞으로 많은 어려움을 겪을 것입니다. 이미 많은 어려움들이 기다리고 있기 때문에 칼날을 피하기가 상당히 어려울 것입니다. 그러나 예수님을 의지하여 기도하면 피할 길을 주실 테니 전심으로 기도하십시오. 하나님께서 기도를 들으시고 도우실 겁니다. 그러나 기도하지 않으면 지금의 자리를 부끄럽게 떠날 수밖에 없을 것이고, 그때는 땅을 치고 후회해도 아무도 도와주지 않을 것입니다."

"알겠습니다. 제가 꼭 열심히 기도하겠습니다. 오늘 대사님 말씀을 듣고 보니 이번에 제가 중국에 온 것은 일 때문이 아니라 대사님의 말씀을 듣기 위해서인 것 같습니다."

그는 독실한 크리스천이었던 자신의 어머니를 따라서 교회에 열심히 나가다가 교회에서 일어나는 여러 가지 일을 보고 환멸을 느끼면서부터 발을 끊게 되었다고 하면서, 후에 천주교 신자인 부인과 성당에서 결혼하고 영세도 받았다고 했다. 내가 그와 이런 이야기를 주고받는 것을 보면서 동석한 고위 간부들과 주재관은 무척 놀라워했다.

식사를 마치고 나오는데 그가 나에게 말했다.

"대사님, 혹시 제게 그 기도문을 주실 수 있겠습니까?"

"알겠습니다. 제가 돌아가서 정리한 후에 주재관 편에 보내드리지요."

돌아와서 기도문을 정리해 주재관 편에 보내주었더니 베이징을 떠나기 전 공항에서 그가 전화를 했다.

"대사님, 기도문 잘 받았습니다. 칼날을 피하기 위해서 열심히 기도하겠습니다."

그 후로 이상하게도 그를 위한 기도를 계속하게 되었다. 어떤 때는 내가 기도하지 않으려 해도 성령님께서 계속 그를 위한 기도를 시키셨다. 그리고 한참 시간이 흘렀다. 국내 언론에서 그 인사에 대한 이야기들이 대대적으로 보도되기 시작했다. 그리고 얼마 지나지 않아 그는 구속되었다.

'아, 그 칼날을 피하지 못했구나!'

나는 매우 안타까웠다. 대사관에 근무하는 그 기관의 주재관이 내게 말했다.

"대사님 말씀대로 그 분이 구속되었습니다. 너무 놀랍고 무섭습니다."

내가 통일부 장관으로 임명되어 근무하던 2008년 가을 어느 날, 구치소에서 한 통의 편지가 왔다. 내가 기도해준 바로 그 인사로부터 온 것이었다.

장관님, 제가 중국에 갔을 때 대사님께서 하나님 말씀을 전해주셨습니다. 뜻밖의 경고에 두렵기도 했고, 환난을 피하기 위해 매사에 조심했지만, 무릎 꿇고 기도하는 것이 부족했나 봅니다. 눈물도 많이 흘리고 회개도 많이 했지만, 칼날이 이미 저를 겨냥한 다음이라 소용이 없었습니다.

절망 속에서 주님의 뜻을 헤아리느라 많은 기도와 참회를 하고, 성경책을 읽으며, 힘을 얻어 견뎌내고 있습니다. 이 고통이 하나님을 만나게 하는 은총임을 믿고 그 섭리에 따르도록 기도하고 있습니다.

주님께서 장관님을 통해 경고의 말씀을 주신 것은 저를 버리시지 않고 구원하시려는 사랑의 계획임을 믿고 기도하고 있습니다. 장관님의 기도를 부탁드립니다.

나는 편지를 받고 다시 그를 위해 기도를 시작했다. 그리고 그의 부인에게 전화를 해서 위로하고, 구치소에 있는 그에게도 편지를 보냈다.

베이징에서 만난 이후 생각날 때마다 칼날이 피해가기를 기도했습니다. 그러나 사건이 진행되는 것을 보면서 안타까웠고, 결국 기도가 부족했구나 하는 아쉬운 마음을 지울 수가 없었습니다.

보내주신 편지를 받고 매일 하루에 두 번씩 기도하면서 하나님께서 구해주시기를 간구하고 있습니다. 예레미야서 39장 17,18절 말씀을 붙드십시오. 그리하면 하나님께서 틀림없이 간구를 들으실 것입니다.

얼마 후에 어느 부처 차관이 나를 찾아와 그에 관한 이야기를 했다.

"저는 (감옥에 있는) 그 사람하고 아주 가까운 사이입니다. 오늘 제가 한 친구를 우연히 만났는데, 그 친구가 최근 구치소에 면회를 갔더니 그가 장관님 얘기를 하더랍니다. 자신이 중국에 출장 갔을 때 대사님으로부터 조심하라는 경고를 받았지만, 기도를 열심히 하지 않아 결국 구속되었다고 하면서 장관님께 감사해하더라는 말을 전해주었습니다. 그래서 제가 친구로서 장관님께 감사를 전하기 위해서 이렇게 왔습니다."

그 차관은 하나님을 믿지 않는 사람인데 일련의 이야기를 듣고 무척 놀란 것 같았다. 나는 그에게 그간 있었던 일을 간단히 설명해주었다. 그 후로도 나는 갇혀 있는 그를 위해 계속 기도했고, 가끔 부인에게 전화를 걸어 위로했다.

"사모님, 걱정하지 마시고 기도하십시오."

얼마 후 그는 석방되었다. 석방된 날 그로부터 전화가 왔다.

"장관님, 저를 위해 기도해주셔서 감사합니다. 제가 하나님 앞에 좀 더 무릎을 꿇었어야 했는데, 부족해서 이런 일을 당했습니다. 앞으로는 정말 열심히 기도하겠습니다."

나는 그를 위로하고 전화를 끊었다.

이 사건을 보면서 나는 하나님께서 그를 매우 사랑하신다는 걸 느꼈다. 하나님께서는 어떻게든지 그를 살리고 싶으셔서 그를 한 번도 만나보지 못한 나에게 그런 말을 하도록 시키셨던 것이다. 비록 그가 무릎 꿇고 하나님께 기도하지 못해서 결국 부끄러움을 당했지만, 눈물로 회개하고 기도하게 함으로써 그에게 환난을 이겨낼 수 있는 힘을 주셨고, 그를 새로운 사람으로 만드셨다고 믿는다.


여호와의 말씀이니라 내가 그날에 너를 구원하리니 네가 그 두려워

하는 사람들의 손에 넘겨지지 아니하리라 내가 반드시 너를 구원할 것인즉 네가 칼에 죽지 아니하고 네가 노략물같이 네 목숨을 얻을 것이니 이는 네가 나를 믿었음이라 여호와의 말씀이니라 하시더라

렘 39:17,18

## 축복을 받은 자와 받지 못한 자

2001년 10월 8일부터 2008년 3월 4일까지 약 6년 5개월간 주중대사로 재직하면서 나와 함께 근무했던 직원들은 공사와 공사참사관, 참사관과 서기관 및 주재관들을 포함해서 210여 명에 달한다. 대략 일년에 30여 명의 직원들이 새로 부임하고, 비슷한 수의 직원들이 근무를 끝내고 서울로 돌아갔다.

나는 직원이 새로 부임해오면 반드시 그를 위해 중보기도를 시작했다. 그런데 놀라운 것은 하나님께서 계속 기도를 시키는 직원이 있는가 하면, 어떤 직원은 내가 아무리 기도하려고 해도 기도가 나오지 않았다. 이 때문에 어떤 직원은 대사관에 부임해서 떠날 때까지 대사로부터 매일 기도로 축복을 받은 반면, 거의 기도를 받지 못하고 떠난 직원도 있었다.

물론 대부분의 직원들은 대사가 자신들을 위해 기도한다는 사실을 모르고 있었고, 아마 지금도 모를 것이다. 나는 내가 기도한 많은 직원들이 하나님의 놀라우신 축복을 받는 것을 경험했다. 그럴 때마다 나 또한 그들과 같이 기뻐하며, 하나님의 살아 계심을 다시금 확신하는

계기가 되었다.

대사관에는 대사 바로 아래에 '공사'(公使)라는 중요한 직책이 있는데, 주중대사관에는 공사나 공사급 간부가 대여섯 명 정도 있다. 이들 중 일부는 외교통상부 소속이고 다른 일부는 정부 다른 부처 소속이다. 다른 부처에서 나온 공사 중에 아주 신실한 간부가 있었다. 나는 그를 위해 많은 기도를 했다.

한번은 연초에 그를 위해 기도하는데 하나님께서 이런 축복의 말씀을 주셨다.

네가 참으로 많은 짐을 지고 있으나
그 모든 것을 참고 이겨내니 훌륭하도다.
조금만 기다리라.
이제 너에게 기쁨의 날이 다가올 것이니
네가 원하던 것들이 순식간에 이루어지리라.
참으로 어려운 가운데 참고 이겨냈으니
이제 네 앞에는 영광뿐이로다.
너는 조금만 더 기다리라.
너에게 좋은 소식이 있으리라.
네가 바라던 일이 일어나리라.
모든 사람들이 너에게 존경을 표할 것이며
축하의 말을 하리니, 너는 기다리라.
잠자코 기다리라.

나는 나중에 이 기도문을 그에게 주면서 혹시 짐작되는 것이 있느냐고 물었다. 그러나 그는 이제 서울에 돌아가면 은퇴해야 하기 때문에 자기에게 좋은 일이 있을 리 없다고 말했다. 나는 그에게 '하나님께서 당신에게 영광스런 일이 있을 것이라'고 하셨으니 기도문을 가지고 믿음으로 기도하라고 권했다.

그로부터 몇 달이 지난 어느 날, 서울에서 그 공사의 근무 기간 연장에 대한 나의 의견을 물어왔다. 사실 그 자리가 중요해서 서울에서 오려고 하는 사람들이 많아 일반적으로는 근무 기간을 연장하기가 어려운데, 오히려 서울에서 대사인 내 의견을 물어온 것이다. 나는 본인의 의견을 물은 후 본부에 근무 기간 연장을 건의하면서, '하나님께서 말씀하신 영광된 일이 이것일까?' 하고 궁금하게 생각했다.

얼마가 지나 서울에서 한 고위 인사가 내게 전화를 했다.

"대사님, 그 공사를 중요한 자리에 임명하고 싶은데 어떠십니까?"

나는 깜짝 놀라고 또 기뻐하면서 당연히 좋겠다고 대답했다. 그 후 그 공사는 정부 내의 중요한 자리에 임명되었다. 그의 원소속 부처 직원들이 재외공관에 파견되어 그러한 직책에 임명된 것은 수십 년 만에 처음 있는 일이었다. 그것은 매우 영광된 일이었고, 모든 사람들이 존경을 표하고, 축하의 말을 할 만한 일이었다.

곧 그는 중국을 떠나 새로운 자리에 가서 자신의 직무를 훌륭히 수행하고 은퇴를 했다. 은퇴 후에도 열심히 기도하고 공부하면서 새로운 인생을 준비하고 있다. 요즈음 나는 그를 잘 만나지 않지만, 하나님께서 그에게 더 큰 복을 허락해주시도록 계속 기도하고 있다.

우리가 기억해야 할 것은 누구든지 하나님의 말씀을 들으면 그 말씀을 붙잡고 그것이 이루어지도록 기도해야 한다는 것이다. 그냥 좋은 이야기로만 듣고 기도하지 않으면 그 말씀은 이루어지지 않을 수도 있다는 것을 명심해야 한다.


## 비밀한 것까지 아시는 하나님

주중대사관에는 각 부처에서 파견된 공무원들이 많다. 그중 경제 부처에서 파견된 국장급 직원이 있었다. 그는 매우 유능하고 성실해서 나는 항상 그를 위해 기도했다. 하루는 그를 위해 기도하는데, 기도가 너무 힘이 들면서 마음속에 병으로 인한 두려움이 가득한 것을 느꼈다.

나는 그를 불러서 몸에 병이 있는 것 같은데 너무 무서워하지 말고 빨리 서울로 돌아가 병을 고치라고 권면했다. 그는 나에게 깊이 감사하면서 그렇게 하겠다고 했다. 그러던 중 그가 서울로 발령이 났다. 계속 그를 위해 기도하던 어느 날, 하나님께서 다음과 같은 말씀을 주셨다.


네가 온 곳으로 돌아가나
어떻게 될지를 모르니 답답하도다.
그러나 너는 걱정하지 말라.
네가 갈 곳은 이미 정해졌으며

그곳에서 많은 일을 할 것이니,

너는 기쁘게 돌아가라.

앞으로 너에게 많은 어려움이 있을 것이나

네가 선하고 정직하니 문제없이 극복할 것이라.

너는 건강에 힘쓸지어다.


다음 날 그 직원이 결재를 받으러 나에게 왔다. 결재를 한 다음 그에게 한국으로 돌아가면 갈 곳이 정해졌는지 물었더니, 그는 아무것도 정해지지 않아서 답답하다고 했다. 그래서 그에게 기도문을 주면서 아무 걱정하지 말고 기도하며 기다리면 틀림없이 좋은 소식이 있을 것이니 그 사이에 건강에 힘쓰라고 권했다. 그는 눈시울을 붉히면서 한국에 돌아가면 꼭 교회도 열심히 나가고 건강에도 힘을 쓰겠다고 했다.

얼마 후에 그는 한국으로 돌아가 원 소속 부처로 귀임했다. 그리고 몇 달이 지나고 그에 관한 소식이 들려오기 시작했다. 그가 뜻밖에도 아주 중요한 곳으로 자리를 옮겼다는 것이다. 그곳에서 자기의 능력과 실력을 발휘하여 지금은 정부 내 고위직에서 일하고 있으며, 많은 사람들로부터 인정과 존경을 받고 있다. 그가 서울로 돌아간 후 직원들이 모인 자리에서 그와 함께 일하던 한 주재관이 내게 말했다.

"대사님, 그 직원이 베이징을 떠나기 전에 저를 비롯한 몇몇 주재관들에게 말했습니다. 얼마 전에 대사님께서 자기에게 병이 중하니 빨리 치료를 하라고 하셔서 너무 놀랐답니다. 사실은 그가 아프다는 사실이 비밀이어서 아는 사람이 있을 리가 없는데 대사님이 어떻게 아시고 그런 말씀을 하셨을까 하고요. 그래서 저희들도 신기하게 생각했습니다."

그는 하나님이 사랑하시는 사람이었다. 그래서 비록 그가 비밀로 했지만 하나님께서는 그의 병을 나에게 알려 고치게 하셨다. 그리고 장래에 대한 두려움을 없애고 준비시키셔서 때가 왔을 때 자신의 능력을 십분 발휘할 수 있도록 하여 그를 높이신 것이다.

부와 귀가 주께로 말미암고 또 주는 만물의 주재가 되사 손에 권세와 능력이 있사오니 모든 사람을 크게 하심과 강하게 하심이 주의 손에 있나이다 대상 29:12

## 네 상사를 비방하지 말라

2006년 하반기는 노무현 대통령의 중국 방문과 대사관 신청사 개관식 등으로 무척이나 바빴다. 연말이라 직원들과 한 번은 송년회 겸 식사를 해야 하는데 모두 바쁘다보니 70명이 넘는 직원들의 일정을 맞추기가 어려웠다. 그래서 12월 24일은 가족들과 보내고, 토요일이기는 하지만 25일 저녁에 간소한 송년회를 갖기로 했다.

직원 송년회 전날 밤, 나는 하나님께 기도했다.

'하나님, 내일 직원 송년회를 가집니다. 금년 한 해 직원들이 너무 고생이 많았습니다. 제가 무어라고 직원들을 위로하면 좋을까요?'

하나님께서는 내 마음에 약간은 당황스러운 말씀을 주셨다.

'그들에게 상사를 비방하지 말라고 해라. 상사를 비방하면 아플 것이다.'

나는 좀 난감했다. 만일 내가 그 말을 직원들에게 그대로 전하면, 마치 뒤에서 내 욕을 하면 병에 걸린다는 소리로 들릴 것 같았기 때문이었다.

다음 날 송년회가 시작되어 직원들에게 격려 인사를 해야 하는데, 아무리 생각해도 그 말을 할 수가 없었다. 공식적인 절차가 끝나고 식사를 시작했다. 나는 내가 앉는 테이블에 평소 자주 만나기 어려운 주재관들을 배치해서 함께 식사했다. 커피만 나오면 식사가 끝날 즈음에 성령께서 '지금 말하라'는 마음을 강력하게 주셨다.

나는 할 수 없이 입을 열었다.

"여러분, 내가 이런 말을 하면 좀 이상하게 들릴지 모르지만 앞으로 혹시 다른 데 가서 근무할 때라도 상사를 욕하지 마세요. 상사를 욕하면 몸이 아플 겁니다."

송년회를 마치고 집에 돌아와서 밤에 기도를 하는데 하나님께서 내 의지와 상관없이 식사 때 나와 같은 테이블에 앉았던 한 주재관에 대한 말씀을 주셨다.

네가 나를 사랑하여 열심히 기도하니 내가 기쁘도다.

그러나 너는 조심하라.

네 마음속에 아직도 남을 미워하고 비판하는 마음이 있으니,

너는 그것을 털어낼지어다.

그렇지 않으면 네 마음이 편하지 않을 것이라.

너는 남을 욕하거나 비판하지 말라.

그리하면 그들이 너를 욕하지 않을 것이라.

너는 겸손하라, 그러면 네가 존경을 받을 것이요,

네가 살아남을 것이라.


하나님께서는 이런 내용 외에 그의 장래에 관해서도 말씀하셨다. 나는 12월 27일 월요일 아침에 기도문을 출력해서 출근했다. 그리고 비서관에게 오후에 그 주재관이 나를 찾아오면 들여보내라고 하고 기도문을 책상 위에 엎어 두었다.

오후에 그 주재관이 날 찾아와서 보고를 했다. 그런데 그가 보고를 다 마치고도 가지 않고 쭈뼛쭈뼛하며 앉아 있었다. 내가 물었다.

"무슨 다른 보고가 있나요?"

"뭐라고 말씀드려야 될지, 저 실은⋯."

"왜 그래요?"

"말씀드리기가 좀 어려워서요. 지난번에 대사님이 저에게 야단을 좀 치셨죠."

"그랬었죠."

"그때 제가 화가 많이 났습니다. 그래서 나중에 서울에서 온 몇몇 사람들에게 대사님에 대해서 좋지 않게 얘기를 했습니다. 그런데 이상하게 몇 달 전부터 건강이 안 좋고 몸무게도 자꾸 줄어 병원에 가서 진찰을 받고 약을 먹었지만 낫지를 않았습니다. 그러면서 크리스천으로서 대사님을 욕한 제 행동이 적절하지 못했다고 느껴져 마음이 아주 불편했습니다. 그런데 지난 송년회 때 대사님께서 식사를 다 하신 다음에 상사를 욕하면 아프다고 그러셨죠?"

"그랬지요."

"저는 그 말씀을 듣는 순간 제가 대사님을 욕했기 때문에 아팠던 것이 아닌가 생각이 들어서 그날 밤에 회개했습니다. 그리고 주말에 기도하면서 고민하다가 대사님께 용서를 구하고자 말씀드립니다. 대사님, 저를 용서해주십시오."

나는 책상 위에 엎어놓았던 종이를 뒤집어 그에게로 밀면서 말했다.

"이거 한번 읽어보세요."

그가 기도문을 보더니 너무 놀라면서 부끄러워했다.

"당신의 병은 이미 나았어요. 하나님이 당신을 낫게 하시려고 나한테 말씀하신 거예요. 하나님께서는 내게 모든 직원들한테 얘기하라고 하셨지만, 그렇게는 못하겠어서 할 수 없이 내 테이블에서 한 거예요. 하나님께서 당신을 사랑하셔서 병이 낫게 하시려고 말씀하신 거니까 이제는 걱정하지 마세요."

2007년 1월 초에 그가 나를 찾아왔다. 그는 지난해 연말에 기도문을 받은 다음부터 열심히 기도하고 있는 중이라며, 전날 서울에서 연락을 받았는데 기도문에 있는 일이 이루어져 참 감사하다고 말했다.

그로부터 두 달이 지났다. 기도를 하는 중에 하나님께서 다시 그에 대한 말씀을 주셨다. 나는 다음 날 그 주재관을 불러 기도문 내용을 설명해주었다. 그는 깜짝 놀라면서 얼마 전부터 하나님께서 대사님을 통하여 무언가 말씀을 주시기를 기다렸다고 말했다. 그러면서 모든 것을 다 내려놓고 일만 하겠다고 했다.

얼마 후 그가 나를 다시 찾아와서 말했다.

"대사님, 제 병이 다 나았습니다. 그동안 저를 위해 기도해주셔서 정말 감사합니다."

나는 그가 대사관을 떠나 서울로 돌아갈 때까지 계속 그를 위해 기도했다.

하나님은 자신의 자녀를 사랑하신다. 그리고 그가 아프거나 위험에 처할 때 그를 돕고 싶어 하신다. 그러나 그가 하나님의 뜻을 알아듣지 못할 때는 그에게 가까이 있는 자를 통해 회개하게 하시고 그를 도우신다. 그렇기 때문에 우리 주변에서 우리를 위해 중보기도하는 이들은 참으로 소중한 사람들이다.


## 주도면밀하신 하나님

내가 주중대사로 재직하는 동안 대사관 내 주요 부서의 과장이었던 외교통상부 소속의 1등 서기관이 있었다. 그는 아주 유능하고 품성이 좋은 외교관이었는데 하나님을 믿지 않는 사람이었다. 나는 그에게 직접적으로 복음을 전하진 못했지만 그를 위해 기도하기 시작했다. 나를 수행할 일이 많았던 그는 나와 내 주변에서 일어나는 많은 일들을 목도했고 놀라움을 금치 못했다. 그럴 때마다 내가 그에게 말했다.

"자네는 하나님이 살아 계시다고 생각하지 않겠지만 하나님은 분명히 살아 계시네."

한 번은 한중 간 매우 중요하고도 복잡한 문제가 발생했다. 대사관으로서는 최선을 다해 일했지만 본부에서는 마음에 차지 않았던 모양이다. 어느 날 본부에서 별안간 연락이 왔다. 그 문제를 해결하기 위해 출장 팀을 베이징에 보내니 대사관에서는 일절 관여하지 말고, 과장급 직원 한 명만 그 팀에 합류시켜 도우라는 지시였다.

나는 그날 밤 하나님께 이 일에 대해 도움을 간구했다. 그러자 하나님께서 '그들이 아무것도 할 수 없을 것이며, 그냥 돌아갈 것'이라는 마음을 주셨다.

다음 날 그 과장이 나를 찾아왔는데 상당히 마음이 상해 있었다.

"대사님, 이것은 당연히 현지 대사관에서 해결해야 하는 문제인데 왜 서울에서 사람들을 보내서 교섭을 하겠다는 건지 이해가 잘 안 되네요. 어떻게 할까요?"

내가 말했다.

"어차피 그들은 아무 결과도 얻지 못하고 그냥 돌아갈 거예요. 그렇지만 최선을 다해 도와주세요."

"하지만 이건 현지 대사관을 무시하는 처사가 아닙니까?"

"그렇게 생각하지 말고, 잘 도와주세요. 며칠 지나면 다 알게 돼요."

출장 팀은 베이징에 도착하자마자 나를 찾아와 본부에서 그런 조치를 취할 수밖에 없었던 이유를 설명하고 양해를 구했다. 나는 알았다고 하면서 아무 걱정하지 말고 일을 잘하라고 격려했다.

그런데 잠시 후에 그들이 다시 나를 찾아와 말했다.

"대사님, 저희들이 중국의 유관 기관과 접촉을 하려는데 어느 선 이상에서는 저희들을 안 만나겠다고 합니다. 그렇게 되면 아무 소용이 없습니다. 너무 죄송하게 됐습니다. 아무래도 그냥 돌아가야 되겠습니다."

그러고는 내가 보는 앞에서 자신들에게 부여된 모든 임무를 철회해 버렸다. 바로 이어 서울에서 그 팀을 보낸 정부의 한 고위 인사가 내게 전화를 했다.

"저희는 출장 팀이 가서 중국 측과 별도로 협의할 수 있다고 하기에 뭔가 될 줄 알고 보냈는데 너무 죄송하게 됐습니다. 바로 철수시키겠습니다. 그리고 그 일은 지금까지와 같이 대사님이 전적으로 처리해 주십시오."

이튿날 출장 팀은 모두 서울로 돌아갔다. 그리고 서울에서 다른 고위 인사가 내게 연락을 해왔다.

"너무 죄송하게 됐습니다. 대사님께서 잘하시는 것을 저희들이 비공식적인 차원에서 문제 해결에 도움이 될까 하여 추진했는데 이렇게 되었습니다."

나는 과장을 불러서 말했다.

"내가 이미 말했지요? 그 사람들이 아무것도 못하고 그냥 돌아갈 거라고."

그 후 그는 다른 사람들에게 그 일을 계속 전했다.

## 두 권의 성경책

하루는 내가 그 과장을 불러 말했다.

"일요일에는 보통 뭘 해요?"

"가족하고 놀러가거나 약속이 있으면 골프를 치기도 합니다. 급한 일이 있으면 사무실에 나옵니다."

"이번 주는요?"

"이번 주에는 특별한 계획이 없습니다. 왜 그러십니까?"

"내가 이번 주 저녁에 베이징에 있는 성삼교회에 가서 젊은이들 대상으로 특강을 하는데… 시간이 있는지 한번 물어본 거예요."

그 주일에 교회 강대상에 올라가서 보니까 그가 와 있었다. 800여 명의 참석자들을 대상으로 특강을 하고 나오는데 담임목사님이 차라도 한잔하고 가라고 권하기에 마침 옆에 서 있던 그에게도 같이 가자고 했다.

목사님 방에 갔더니 미국에서 온 목사님 몇 분과 선교사 등 10여 명이 앉아 있었다. 그들과 차를 마시면서 얘기를 하는데 갑자기 베이징에서 활동하는 한 선교사가 나에게 다가와서 말했다.

"대사님, 저를 위해서 기도해주십시오."

"여기 목사님들도 많이 계신데 왜 저한테 기도를 해달라고 그러세요?"

"저는 꼭 대사님께 기도를 받고 싶습니다."

그러고는 선교사 부부는 내가 앉은 자리 앞에 무릎을 꿇었다. 나는 약간 당황했지만 잠시 마음속으로 기도한 다음, 일어서서 그들을 위해 기도를 했다. 내가 기도를 시작하자마자 선교사 부부가 바닥에 엎드려 통곡하기 시작했다.

'아니, 왜 이 사람들이 통곡을 하지?'

나는 이유를 모른 채 기도를 끝내고 집으로 돌아왔다. 그리고 그날 밤 기도 중에 하나님께서 그 과장에 대한 말씀을 주셨다.

다음 날 그가 결재를 받으러 와서 물었다.

"대사님, 어제 교회에서 하신 말씀을 듣고 큰 감동을 받았습니다. 그런데 그 선교사 부부를 위해서 기도하실 때 어떻게 그 사람들의 사정을 다 아셨어요?"

"내가 그것을 어떻게 알겠어요. 기도할 때 성령께서 그렇게 이끄신 거지요."

"그들이 울고 통곡하는 걸 보니 다 알고 하시는 것 같던데요."

"아니에요. 그냥 하나님의 인도하심대로 기도한 거예요. 그런데 과장은 교회에 나가는 것을 어떻게 생각해요?"

"네, 생각해봤는데요. 아이들부터 먼저 교회에 보낼 생각입니다."

그래서 내가 말했다.

"그렇겠지요. 내가 어제 당신을 위해 기도했는데 '대사님, 너무 죄송합니다. 저는 정말 교회에 다니고 싶습니다. 그런데 환경이 그렇지를 못합니다. 대사님께 너무 죄송합니다. 앞으로 반드시 교회에 나갈 겁니다. 제가 교회 나가는 것은 시간 문제입니다'라고 생각하고 있더군요. 맞지요?"

순간 그가 갑자기 눈물을 흘리기 시작했다.

"대사님, 그렇습니다. 제가 정말 그렇게 생각했습니다. 지금 대사님 말씀을 들으니 제가 교회에 나가야겠습니다. 저, 교회에 나가겠습니다."

이 일이 있은 지 얼마 후 내가 그에게 물었다.

"요새 교회에 나가나요?"

"나갑니다."

내가 그를 위해 오래 전에 준비해 둔 성경책을 주며 말했다.

"사실은 내가 당신한테 주려고 오래 전부터 가지고 있던 건데, 이제 교회에 나간다니까 이 성경책을 쓰세요."

"대사님이 제 성경책을 준비하셨어요?"

그는 대사가 자신을 위해 성경책을 준비하고 있었다는 사실에 깊은 감동을 받은 것 같았다. 나는 준비한 성경책을 한 권 더 주면서 말했다.

"이 성경책은 가지고 있다가 앞으로 꼭 전도할 사람이 있으면 선물하세요."

그 후 그는 본부에 돌아가 많은 일을 하고, 지금은 아주 중요한 국가의 대사관에서 공사참사관으로 근무하고 있다.

얼마 전에 내가 통일부 장관으로 있을 때 부하 직원이었던 중견 간부가 외국에 가서 연수를 마치고 돌아왔다. 그가 나에게 전화로 귀국인사를 하며 말했다.

"장관님, 지난 1년간 연수를 잘하고 귀국했습니다. 그런데 그곳에서 장관님께서 주중대사로 계실 때 과장으로 일했던 공사참사관과 아주 가깝게 지냈습니다. 그런데 그가 일이 무척 바쁜데도 성경 공부도 체계적으로 하고, 순모임에도 열심히 나가고, 새벽기도도 다니고 있었습니다. 그리고 제게 성경책을 주면서 장관님께서 주중대사 시절 주신 두 권의 성경 책 중 한 권이라고 했습니다. 제가 요즈음 그 성경책을 보고 있습니다. 장관님, 감사합니다!"

나는 그 말을 듣고 참으로 감사했다. 내가 한 명의 직원을 위해 오랫동안 기도해서 그가 하나님을 믿게 된 것도 감사한데, 그가 열심히 믿음생활을 하다가 내가 연수를 보낸 직원에게 내가 준 성경책을 선물로 주며 전도를 했다니 말이다. 나는 하나님께 감사하는 한편, 하나님의 그 주도면밀하심에 그저 놀랄 수밖에 없었다.


## 그것은 네가 걱정할 일이 아니다

대사관 영사부는 민원 업무로 인해 항상 복잡하고 시끄러운 곳이다. 거기다 2002년 5월부터는 탈북자 문제와 국군 포로 문제 그리고 납북자 문제 등으로 1년 365일을 긴장 속에서 근무하는 부서였다. 그래서 늘 영사부에서 일하는 직원들을 위해 무언가 해주고 싶었지만 기도 외에 특별히 해줄 게 없었다. 그래서 나는 많은 시간을 할애하여 영사부 직원들, 특히 탈북자 문제와 국군 포로 문제 등을 담당하는 직원들을 위해서 간절히 기도했다.

어느 날 탈북자와 국군 포로를 담당하는 한 직원을 위해 기도하던 중 그가 너무 힘들어하는 것이 느껴졌다. 그래서 그를 축복하며 계속 기도했더니 하나님께서 그에게 위로와 격려의 말씀을 주셨다.

네가 지금 참으로 힘이 드는도다.

네가 지금 그 역할을 감당함에 있어

겉으로는 아무 일도 없는 것처럼 행동하나,

네 마음이 항상 불안하고 걱정이 많도다.

네가 앞으로 일어날 여러 가지 상황을 생각하며

잠 못 이룰 때가 많도다.

그러나 너는 걱정하지 말라.

지금 네가 하는 일은 사람의 생명을 구하는 일이요,

그들은 다 나의 소중한 자녀들이니

너는 지금의 상황을 답답하게 생각하지 말지어다.

네가 앞일을 걱정하나 그것 또한 내가 걱정할 일이 아니니라.

이제 내가 너를 도울 것이니 너는 걱정하지 말라.

너는 오히려 더욱 뜨거운 사랑으로 그들을 맞을지어다.

그리하면 내가 너에게 큰 상을 내리리라.

지금 네가 가정의 일로 걱정이 많도다.

그러나 네가 나에게 기도하면 내가 해결할 것이요,

너를 축복할 것이라.


어느 날 결재를 받으러 온 그를 위로하며 이 기도문을 읽어주었더니 그가 깜짝 놀라면서 말했다.

"지금 대사님 말씀을 들으면서 소름이 끼쳤습니다. 사실 저는 탈북자나 국군 포로 문제를 다룰 때마다 두려웠지만 만약 하나님이 계시다면 내가 지금 좋은 일을 하니 나중에 복을 주시지 않겠나 생각하면서 제 자신을 위로하고 있습니다. 그리고 최근 아내와 사이가 아주 어려웠으나 시간이 지나면서 극복하고 있는 중입니다. 하나님께서 대사님을 통해 저를 위로해주시니 정말 감사합니다. 앞으로 좀 더 열심히 노력하겠습니다."

그는 나에게 기도문을 달라고 하여 가지고 돌아갔다. 그는 하나님을 믿지 않는 사람이었다. 그러나 하나님께서는 탈북자와 국군 포로의 생명을 살리는 그를 사랑하셔서 위로하기 원하셨고, 그의 가정이 회복되기를 원하셨다고 생각한다. 나는 그가 지금 어떻게 지내는지 모른다. 하지만 그는 틀림없이 기도문을 잘 보관하고 있을 것이며, 그가 경험했던 하나님의 살아 계심을 생각하고 있을 것이다.


## 더 이상 욕심을 내지 말라

중국 장쑤성(江蘇省) 롄윈강(連運港)이라는 항구도시에 사료회사를 경영하는 김영호 회장이라는 사업가가 있다. 김 회장은 2004년에 중국인과 합작해서 중국 내륙의 한 성(省)에 공장을 세우는 데 중국 돈 300만 위안(元), 미화로 약 40만 불을 투자했다.

그런데 중국 측 파트너가 그 돈을 착복하고 공장 문을 닫아버리는 일이 발생했다. 치밀한 사전 계획에 의한 기업 절도 행각에 그가 투자

한 40여만 불이 하루아침에 다 날아가버릴 위기에 처한 것이다. 해결할 방법이 없자 그는 대사관에 진정서를 내서 자신의 어려움을 호소했다. 대사관에서는 그 성에 직원을 파견하여 유관 부서에 협조를 요청했지만 별다른 진전이 없었다.

2005년에 대사관이 마침 그 성과 한국 우호주간 행사를 개최하게됨에 따라, 나는 김 회장을 아예 우리 대표단에 포함시켜 함께 그 성으로 갔다. 행사가 진행되는 동안 나는 성장을 비롯한 성의 주요 인사들에게 김 회장 문제를 제기하고 성 정부 차원에서 관심을 가지고 도와달라고 요청했다.

결국 성장을 비롯한 주요 인사들이 관심을 가지기 시작하면서 이문제는 해결의 실마리를 찾기 시작했지만, 그 후에도 지루한 과정이 2007년까지 계속되었다. 그리고 마침내 2007년 11월, 중급법원의 판결에 따라 중국 측 파트너는 범법자로 5년 형을 선고받게 되었다. 그러나 그때는 이미 중국 측 파트너가 돈을 다 써버린 후였다. 참으로 황당한 사건이었다.

그럼에도 불구하고 김 회장은 대사관의 협조에 감사하면서 2006년 8월 8일에 부인과 함께 베이징에 와서, 내게 인사를 하고 싶다고 했다. 나는 그의 억울함을 달래주고 싶은 마음에서 김 회장 부부를 점심식사에 초대했다.

그를 만나기 전인 8월 7일 밤에 나는 그를 위해 기도하고, 하나님께서 축복하시는 말씀을 가지고 그를 만나러 갔다. 김 회장 부부와 식사가 끝나갈 즈음, 나는 그에게 지난밤 그를 위해 기도할 때 하나님께서 주신 말씀을 말해주었다. 기도문의 요지는 '너는 더 이상 욕심을 내지 말라'는 것이었다. 그러자 그 부인이 깜짝 놀라면서 말했다.

"지금 대사님께서 하신 말씀은 제가 매일 남편에게 하는 말이에요."

그러자 김 회장이 혹시 기도문이 있으면 읽어달라고 하여 나는 양복 주머니에서 기도문을 꺼내 읽어주었다. 김 회장은 눈물을 흘리면서 듣고는 기도문을 자기에게 선물로 달라고 하면서, 이왕이면 거기에 서명을 해달라고 했다. 나는 기도문에 서명을 한 후에 김 회장에게 건네주면서 말했다.

"회장님, 이제 하나님을 열심히 믿고 기도를 많이 하십시오."

김 회장이 감회 어린 눈으로 말했다.

"지금 대사님이 하신 말씀이 제게는 어머니의 음성처럼 들렸습니다. 제 어머니는 아주 독실한 크리스천이었으며 기도를 많이 하신 분이었습니다."

그러면서 그는 다음과 같은 이야기를 했다.

"제가 스물세 살에 군에 입대하여 지내던 어느 날, 어머니가 돌아가셨다는 연락을 받고 급히 집으로 돌아갔습니다. 집으로 가기 위해 강을 건너려고 배를 타는데, 평소에 잘 아는 뱃사공이 저에게 '자네 어머니 다시 살아나셨어'라고 하는 것이었습니다. 무슨 소리인가 하고 집에 가보았더니, 어머니께서 돌아가신 지 24시간 만에 다시 살아나신 것이었습니다.

가족들 말에 의하면 어머니께서 완전히 사망하신 것을 확인하고 마지막으로 얼굴에 씌운 천을 치우고 예배를 드리는데, 목사님이 어머니의 눈과 손이 떨리는 걸 발견하고 가족들에게 찬양을 더 세게 부르라고 하여 더 크게 찬송을 하자 어머니의 눈이 떠졌다는 것이었습니다.

다시 살아나신 어머니는 말은 못하시고 나를 보시고 무어라고 입술을 움직이셨습니다. 그런데 이상하게도 그 소리가 방 안에 있던 다른 사람들에게는 안 들리는데 저에게는 명확히 들렸습니다. 어머니는 제게 휴가를 얼마나 받았느냐고 물으셨고, 제가 2주를 받았다고 하자 자신이 1주일만 더 사실 테니 그동안 장례를 치르고 부대로 돌아가라고 하셨습니다. 제가 그렇게 하겠다고 하자 어머니가 놀라운 말씀을 하셨습니다.

어머니가 고운 옷을 입고, 머리에 댕기를 매고, 들판을 지나 어느 강가로 갔는데 거기 나룻배가 한 척 있었고, 사공이 어머니에게 빨리 배에 타라고 하는데 그 배를 타면 저를 못 보실 것 같아서 머뭇거리고 계셨다고 합니다. 그러다 어디선가 찬송 소리가 들렸고, 의식을 회복하셨다고 말입니다.

저는 그때 어머니의 말씀을 들으면서 부활을 직접 목도했고 큰 감동을 받았습니다. 그리고 어머니는 정말 7일 만에 돌아가셨습니다. 어머니는 평생 기도를 많이 하셨고, 항상 저에게 예수 잘 믿고 기도 많이 하라고 하셨습니다. 그런데 저는 어머니가 돌아가시고 30년이 넘도록 하나님도 열심히 안 믿고, 기도도 하지 않았습니다. 이제 저는 어머니께서 저에게 당부하신 대로 그리고 대사님께서 말씀하신 기도문대로 살아갈 것입니다. 대사님의 기도문을 액자에 넣어 침실에 걸어놓고 매일 제 자신을 돌아볼 것입니다."

나는 그의 말을 들으면서 깊은 감동을 받았다. 그래서 그와 헤어진 후에도 계속 그를 위해 기도했다.


## 내가 그를 도울 것이라

2007년 9월 김 회장의 사업에 큰 문제가 발생했다. 그것은 여러 가지 사안이 얽혀 있는 아주 복잡한 문제였다. 김 회장은 나에게 대사관의 도움을 간절히 요청하는 메일을 보내왔다. 나는 그를 위해 특별 기도를 시작했다. 그런데 기도 중에 하나님께서 그를 도울 것이라는 마음을 주셨다. 나는 자신감을 가지고 대사관에서 할 수 있는 모든 노력을 다했다. 그러나 일은 생각대로 진전이 되지 않았다.

김 회장이 10월 초 베이징에 올라와 대사관을 찾아왔다. 나는 그에게 하루에 두 번씩 기도하고 있으며, 하나님께서 틀림없이 도우실 테니 아무 걱정하지 말고 열심히 기도하라고 말했다. 그가 지난번에도 중국에서 어려움을 당하여 큰 손실을 입었던 점을 감안하여 현실적으로 가능한 모든 노력을 다했다.

얼마 지나지 않아 복잡하고 풀리기 어려울 것 같던 문제가 해결되었다. 이 일에 관련된 사람들에게는 불가능할 것으로 보였던 문제가 풀린 것이다.

그가 나에게 전화를 걸어왔다. 그리고 진심으로 감사를 표했다. 나는 그에게 문제 해결에 전적인 하나님의 도우심이 있었음을 설명하고, 앞으로도 항상 조심하고 무리하지 말라고 조언했다. 그는 내 말을 들으니 눈물이 나온다면서 그렇게 하겠다고 말했다.

그리고 며칠 후 그가 메일을 보내왔다.

조그마한 중소기업의 애로 사항에 귀 기울여주시고, 따뜻한 성원과
지원을 아끼지 않으시는 대사님께 진심으로 감사를 드립니다. 힘든
일을 겪으면서도 언제나 말씀에 따라, 항상 정의롭게 일을 추진하시
는 대사님이 참으로 존경스럽습니다. (중략)

대사님께서 제 기업이 소생할 기회를 주셨습니다. 이 소중한 기회를
바탕으로 만사에 주의하여, 대사님의 은혜에 보답하도록 하겠습니
다. 또한 대사님 말씀대로 저도 이제는 불쌍한 사람을 도울 기회를
힘써 찾아보겠습니다.

내가 통일부 장관을 그만둔 이후 2010년 1월에 김 회장이 편지를 보
내왔다.

### 렌윈강에서 온 편지

2004년부터 2007년까지 제게 닥친 시련은 제 인생을 송두리째 변화
시킨 사건이었습니다. 병마를 딛고 일어나 하나님께서 주신 제2의
인생이 대사님과의 만남이라는 축복과 함께 시작되었습니다. 그렇게
중국 사업이 안정되려고 하던 차에, 2007년 8월에 또다시 위기가 찾
아왔습니다. 대사관을 찾아가 만난 대사님께서는 뜻밖에도 하나님께
기도했는데 "하나님께서 도울 것이니 아무것도 걱정하지 말라"고 하

셨습니다. 너무나 복잡한 문제라 빠른 해결이 쉽지 않을 것이 예상되었지만 그렇게 말씀하신 하나님을 믿고 의지할 수밖에 없었습니다. 그런데 믿기지 않게도, 대사님께서 말씀하신 바와 같이 결국에는 큰 손실 없이 문제를 해결할 수 있었습니다. 대사님께서 전하신 하나님의 말씀대로 불가능할 것 같던 일이 해결되는 것을 목도하게 되었습니다. (중략)

저는 요즈음 혹시나 하나님의 말씀에 어긋남이 있는지 지난날을 되돌아봅니다. 말씀에 나온 대로 가난한 자들을 도우려고 지역 어린이들과 대학교에 장학금을 출연하고 있습니다. 또한 비슷한 처지의 재중국 한국상회 회원들에게 제 경험과 지혜를 나누고 있습니다.

그리고 나태해질 때마다 하나님의 말씀대로 살아보려고 노력하고 있습니다. 또한 장관님께서 주신 글과 말씀들을 항상 벽에 붙여놓고 보곤 합니다. 하나님의 과분한 사랑과 아껴주심에 항상 감사드리는 마음입니다.

김 회장은 자신이 말한 대로 매 순간 하나님께 감사하면서 신실하게 살아가려고 노력하고 있다. 그렇기 때문에 어려움이 닥칠 때마다 하나님께서 그를 도우시고 지키셨다. 그도 그러한 하나님의 사랑과 은혜를 확실히 알고 있었다. 김 회장과 마지막으로 만난 지 3년이 넘어 나는 지금 그가 어떠한 생활을 하는지 모른다. 그러나 그가 어디에 있든지 하나님께서 그를 지키시고 그의 가정을 축복해주시기를 기도하고 있다.

## 중보기도의 능력

2007년 1월 초였다. 대사관 내부 행사를 하는데 최수용 서기관이 나에게 다가왔다.

"대사님, 베이징에서 근무하는 어느 대기업 임원이 서울로 발령받아 돌아가게 되었는데 떠나기 전에 대사님께 인사를 하고 싶어 합니다. 시간을 좀 내주시면 좋겠습니다."

나는 연초라 여러 가지 일정 때문에 시간을 내기가 힘들다고 거절했다. 그런데 며칠 후 최 서기관이 다시 찾아왔다.

"그 사람에게 대사님께서 만나기 힘들다는 말을 전했는데도 꼭 인사를 하고 떠나고 싶어 합니다. 잠깐이라도 만나주시는 것이 좋지 않을까요?"

나는 마음이 내키지는 않았지만 최 서기관이 두 번이나 이야기하니 그의 체면을 생각해서 만나겠다고 말했다.

1월 말 그 임원을 만나기 전날 밤, 잘 모르는 대기업 임원이 왜 꼭 나를 만나려 하는지 모르지만 하나님께서 그를 축복해주시도록 기도했다. 그런데 그의 마음에 답답함과 불안과 두려움이 가득한 것이 느껴졌다. 나는 하나님께서 그에게 주신 마음을 글로 정리해서 출근했다.

면담 당일 최 서기관이 그 임원을 안내하여 들어왔다. 그는 자리에 앉자마자 자신을 소개했고, 10여 년간 중국 근무를 마치고 본사로 돌아가게 되었다고 덧붙였다. 나는 아무런 대답도 하지 않고, 지난밤에 하나님께서 주신 말씀에 따라 이야기를 했다.

그런데 그가 내 이야기를 들으면서 갑자기 눈물을 흘리기 시작했다.

"지금 대사님이 하신 말씀이 현재 제 상황과 심정에 완전히 일치합니다. 대사님 말씀을 듣고 나니 그동안 답답하고 두려웠던 마음이 편안해졌습니다."

그래서 내가 물었다.

"혹시 교회에 나가세요?"

"아니요. 안 나갑니다. 대사님, 제가 나쁜 놈입니다."

그러면서 그날 아침 자신의 부인의 얼굴이 너무 이상해서 왜 그러느냐고 물었더니 금식을 하고 있다고 하더라며 계속 눈물을 흘렸다. 나는 그 순간 그를 만나게 된 것과 전날 밤 하나님께서 주신 말씀이 모두 부인의 간절한 기도의 응답임을 알게 되었다. 그런 내 생각을 그에게 말하며 부인과 함께 교회에 나가 예수님을 믿으라고 했다.

"네, 그렇게 하겠습니다. 이제는 세상의 모든 것을 버리고 대사님처럼 하나님만을 위해 살겠습니다. 그리고 방금 읽어주신 기도문을 선물로 제게 주시면 좋겠습니다."

나는 주머니에 넣어두었던 기도문을 그에게 주었다. 동석했던 최서기관도 깊은 감동을 받은 모습이었다.

시간이 흘러 6월이 되었다. 그 임원이 다시 나와의 면담을 요청했다. 나는 그가 어떻게 변했는지 궁금해서 그를 만나기로 하고, 만나기 전날 다시 그를 위해 기도했다. 하나님께서는 또다시 그를 위로하는 말씀을 주셨다.

그는 나를 만나자마자 자신이 한국으로 돌아가서 내가 말한 대로 기도하면서 나름대로 믿음생활을 하려고 하지만, 장래에 대한 불안감 때문에 답답하다고 말했다. 나는 지난밤 하나님께서 주신 말씀을 전하고 그를 위로했다. 그는 또다시 눈물을 흘리면서 하나님의 사랑에 감사하며 앞으로 더욱 열심히 기도하겠다고 다짐했다. 함께 자리했던 최 서기관이 이 모습을 지켜보면서 놀라워했다.

몇 달이 지나 연말이 되었다. 베이징 21세기교회 박태윤 목사님을 만날 기회가 있었는데 그 자리에 김광성, 김태수 두 부목사님도 동석했다. 이야기 중에 갑자기 박 목사님이 말했다.

"대사님, 어느 대기업의 모 임원을 아시지요?"

"압니다."

"그 부인이 저희 교회 교인이신데, 부인의 요청으로 저와 이 자리에 계신 목사님들을 비롯한 많은 사람들이 지난 10여 년 동안 그가 변화되기를 위해 끊임없이 노력했지만 성공하지 못했습니다. 그런데 금년 1월에 그가 대사님을 딱 한 번 만나고 완전히 변화되었습니다. 그 부인이 저희들에게 기적이라고 하면서 울었습니다. 대사님, 정말 놀라우십니다."

"목사님, 저는 오늘 처음 듣는 이야기입니다. 그리고 그것은 제가 한 것이 아니라 하나님께서 하신 것입니다. 또한 그의 부인과 목사님 그리고 수많은 분들의 눈물의 기도가 쌓여서 가능했던 일입니다."

나는 그날 밤 하나님께 감사 기도를 드렸다. 하나님께서는 그를 구원하시기 위해서 대사관 직원을 통해 나를 만나게 하시고, 그 만남으로 인해 그가 회개토록 하셔서 그를 구원하신 것이다. 나는 하나님께서 한 영혼을 구하시는 데 나를 사용해주신 은혜에 깊은 감사를 드렸다.

우리가 선을 행하되 낙심하지 말지니 포기하지 아니하면 때가 이르매 거두리라 갈 6:9

## 눈 뜬 봉사들을 치료해주십시오

2002년 9월에 남부에 있는 한 도시를 방문했다. 현지 한국 기업인들과 조찬을 하면서 그들의 애로 사항을 듣고 해결 방안을 논의했다. 그때 참석한 기업인 중 한 사람이 중국인 부인과 동반을 했었다.

2006년 5월에 나는 다시 그 도시를 방문하게 되었다. 지난번과 마찬가지로 현지 한국 기업 대표들과 한인회장과 함께 저녁을 하면서 간담회를 가졌다. 그동안 우리 기업들이 많이 진출하여 기업 대표들의 숫자가 늘어나서 한인협의회가 구성되었고 회장도 선출하게 된 것이었다. 그런데 새로 선출된 한인회장이 바로 2002년에 중국인 부인과 왔던 젊은 기업인이었다. 이때도 중국인 부인과 참석을 했다.

공식적인 이야기가 끝나자, 기업인 중 한 사람이 내게 중국에서 신앙생활을 하기가 너무 어렵다면서 조언을 구했다. 나는 믿지 않는 사람들의 입장도 배려하면서 몇 년간 중국에서 신앙생활을 해온 나의 경험을 이야기했다. 한인회장의 중국인 부인도 알아들을 수 있도록 최대한 또박또박, 천천히 말하려고 노력했다.

간담회가 끝난 다음 내가 묵는 호텔로 돌아와서, 한국인 교인 몇 사람과 차를 마시면서 현지의 이런저런 생활상에 관한 환담을 주고받았다. 그러는 중에 한 사람이 일어서더니 전화를 받고 돌아왔다. 그리고 방금 전화를 한 사람이 간담회를 준비한 한인협의회회장이라고 하면서 그가 한 말을 전해주었다.

대략적인 내용은 '그의 중국인 부인이 평소에 한국말을 잘 알아듣지 못하는데 오늘은 내 말을 전부 알아들었을 뿐만 아니라 깊은 감동을 받았으며, 다음 주부터 함께 교회에 나가자고 하여 그 기업인이 놀랐다'는 것이었다. 그러면서 아무래도 하나님께서 부인의 마음에 감동을 주신 것 같다고 했다. 우리들은 그 말을 듣고 감사하여 그 자리에서 하나님께 감사 기도를 드렸다.

다음 날 베이징에 돌아와서도 계속 그 부부를 위해 기도하면서, 하나님께서 그들을 축복해주실 것을 간구했다. 그러자 하나님께서 내게 그의 사업과 가정과 자녀를 축복하시는 말씀을 주셨다. 나는 그 내용을 기업인에게 이메일로 보냈다.

며칠 후 그가 메일을 보내왔다.


지방에 출장을 다녀오느라 소중한 편지를 이제야 열어보았습니다. 정말 감사합니다. 말씀을 받은 순간 저희 부부가 부둥켜안고 엉엉 울며 감사의 기도를 올렸습니다.

이제 저희 부부는 말씀대로 항상 기도하며 감사하며 살겠습니다. 특히 저희들을 기억해주서서 기도와 관심을 보여주신 대사님께 깊은 감사를 드립니다. 제가 49년 동안 눈은 떴지만 하나님을 직접 볼 수 없는 봉사와 같았습니다. 항상 건강하시어 저와 같은 많은 눈 뜬 봉사들을 치료하여 주십시오.

하나님께서는 정말로 놀라우신 분이다. 기업가의 중국인 부인을 굳이 기업인 간담회에 참석하게 해서 하나님에 관한 이야기를 듣도록 하시고, 그 부인을 통해 그 집안이 구원받는 역사가 일어나게 하셨으니 말이다. 나는 그 후로도 그 기업인 부부가 생각날 때마다 기도를 했다.

## 준비하고 기도하지 말고 기도하고 준비하라

황성주 박사는 의사이자 교수이며 목사이자 CEO로서 유명하신 분이다. 황 박사는 자신이 개발한 생식으로 명성을 날렸으며, 최근에는 꿈이있는교회 담임목사로 섬기고 있다. 그 분이 2010년에 규장 출판사에서 《킹덤드림》을 출간했는데, 책의 37,38쪽에 나에 관한 언급이 있어 상세한 내용을 밝히려고 한다.

2006년 5월 말이었다. 황성주 박사가 베이징에 오는데 나를 만나고 싶다는 신청이 비서실을 통해 들어왔다. 나는 황 박사에 관한 이야기는 많이 들었지만 그때까지 그를 직접 만난 적은 없었다. 나는 하나님께 기도한 후 만나자고 연락을 했다. 만나기 전날 밤에 황 박사를 위해 기도할 때 하나님께서 주신 말씀을 정리해 양복 주머니에 넣고 그를 기다렸다.

6월 2일 오후에 황 박사는 이롬의 중국 지사 김효태 본부장과 함께 방문했다. 서로 인사를 하고서 황 박사가 자신의 방문 목적을 말했다. 그는 중산층 형성을 위한 중국인의 리더십을 개발하려는 목적으로 한국의 이롬 월드리더십센터에 국제훈련원을 만들어 중국의 가정교회

지도자와 선교사 지망생들을 3개월 코스로 훈련시키려 한다면서 비자 발급을 협조해달라고 했다.

설명을 다 듣고 난 다음에 내가 황 박사에게 물었다.

"박사님, 제가 몇 가지 질문을 해도 되겠습니까?"

"네, 하십시오."

"지금 말씀하신 사업을 준비하실 때 하나님께 기도를 하셨습니까?"

"당연히 했지요."

"그럼 기도 응답은 받으셨습니까?"

"네, 당연히 받았지요."

내가 다시 물었다.

"박사님께서 직접 받으셨습니까?"

"제가 직접 받았다기보다 많은 사람들이 이 문제를 가지고 오랫동안 중보기도를 했고, 지금도 계속 기도하고 있습니다. 그래서 우리는 하나님께서 다 응답해주신 걸로 생각하고 이 일을 추진하고 있습니다."

"제가 기도한 바로는 그렇지 않은 것 같습니다. 면담 약속이 된 후 박사님을 위해 계속 기도했습니다. 어젯밤에 기도할 때 하나님께서 주신 말씀을 읽어드리겠습니다."

너희가 지금 내 일로 인하여 열심이니 기쁘도다.

그러나 잘 생각하라.

그것이 정말로 나를 위한 것인지 아니면

너희를 위한 것인지 너희는 잘 알 것이니라.

너희는 기도하여 결정하라.

현재 너희가 하려고 하는 그 일들은

내가 원하지 않는 것이니 하지 말지어다.

너희는 항상 기도하고 준비할지어다.

시작한 다음에 기도하지 말지어다.

너희가 미리 기도하면 내가 너희에게 가르쳐주리라.

너희는 겸손하라.

무조건 나를 위한 사역이라고 말하지 말라.

너희가 말하는 것과 나의 생각이 다르니

함부로 내 생각이라고 말하지 말라.

나는 그런 세상적인 것을 원하지 않노라.

더 기도하라, 그러면 나의 뜻을 좀 더 분명히 알게 될 것이다.


기도문을 다 읽은 다음 내가 말했다.

"지금 들으신 바와 같이 하나님의 뜻이 이러하니 저는 도와드릴 수가 없습니다. 박사님께서도 좀 더 기도하신 후에 추진해보시지요."

황 박사가 다소 당황하고 계면쩍은 표정을 지으며 말했다.

"대사님 말씀대로 좀 더 기도하고 신중하게 결정했어야 했던 것 같습니다."

그리고 황 박사가 먼저 기도를 시작하고 내게도 기도를 요청했고, 기도를 마친 후 황 박사 일행은 떠났다.

나는 이후에 황성주 박사를 만난 적이 없다. 다만 나중에 다른 사람을 통해서 내가 기도를 통해 황 박사를 만나기 전에 그가 무슨 말을 할 것인지를 알고 하나님의 말씀을 전한 것에 대해 그 일행이 무척 놀랐으며, 그 후 황 박사가 이 사안에 관련된 계획을 전부 취소했다는 이야기를 전해 들었다.

나는 그 만남으로 인해 황 박사에게 다소 미안한 마음을 가지고 있었다. 그런데 나와 있었던 이야기들을 그의 책에 솔직하게 기술한 것을 보고, 황 박사가 하나님의 사람이라는 것을 확실히 알게 되었다.

하나님께서는 당신의 자녀를 사랑하셔서 자신의 자녀가 다른 길로 가는 것을 막기 위해 내 입을 통해 하나님의 말씀을 전하셔서 자신의 계획을 내려놓게 하심으로써, 그를 다시 선한 길로 인도하셨던 것이다.

사람이 마음으로 자기의 길을 계획할지라도 그의 걸음을 인도하시는 이는 여호와시니라 잠 16:9


## 이미 이루어졌노라

2007년 초에 집안의 형님 되시는 분이 서울에서 전화를 하셨다. 지인 중에 기업을 하는 분이 계신데, 나를 꼭 만나고 싶다는 것이었다.

"자네가 먼저 기도해보고 가능하다면 만나주게."

나는 기도하고 형님에게 연락을 했다.

"만나겠습니다. 그렇게 연락하시지요."

2007년 3월 초에 윤 회장(가명)이라는 분이 대사관으로 나를 찾아오기로 했다. 나는 항상 그렇듯이 전날 밤 그를 위해 기도를 했다. 그런데 하나님께서 주시는 말씀이 이상했다. 그가 계속 자신을 한심하다고 생각하는 것이었다. 나는 하나님께서 주시는 말씀을 잘 정리하여 주머니에 넣고 사무실에 출근을 했다. 그리고 오전에 그를 만나게 되었다. 윤 회장은 나를 만나자마자 자신이 하고 있는 사업에 관해 상세히 설명했다. 그의 설명을 다 들은 다음, 내가 말했다.

"그런데 회장님은 저를 만나는 것이 한심하다고 생각하십니까?"

"예?"

"저를 만나러 베이징까지 오신 것을 왜 한심한 일이라고 생각하시냐고요?"

"그게 무슨 말씀이십니까?"

"제가 어젯밤 하나님께 기도를 했습니다. 그런데 회장님께서 저를 만나는 것을 계속 한심하다고 생각하시더군요."

나는 하나님께서 나에게 주신 말씀을 적은 기도문을 읽었다. 내용을 다 듣고 나서 윤 회장이 입을 열었다.

"사실 어제 베이징에 도착해서 밤에 호텔에서 자는데 계속 제 자신이 한심하다는 생각이 들었습니다. '왜 내가 베이징까지 와서 모르는 분한테 이런 얘기를 해야 하는가' 하는 생각에 새벽 1시까지 뒤척이며 잠을 못 잤습니다. 그러다가 아침에 일어나서 밥을 먹고, 집사람한테 전화도 하지 않고 바로 대사관으로 왔는데 대사님께서 그런 제 마음을 아시다니 참으로 놀랍습니다."

그러면서 그는 말을 이었다.

"지금 대사님이 기도문을 읽으시는데 몸이 떨리면서 굳는 느낌을 받았습니다. 사실 제가 옛날에 예수님을 믿었는데 아무래도 다시 교회에 나가야 될 것 같습니다. 그 기도문을 제게 주실 수 있습니까?"

나는 그에게 기도문을 주고 물었다.

"그런데 저를 만나고자 하신 용건이 무엇이지요?"

그가 나에게 자신의 희망 사항을 설명했다.

"그런 거라면 걱정하지 마십시오. 조금 전 읽어드린 기도문에 '네가 원하는 일은 이미 이루어졌으며 잠시만 기다리면 모든 문제가 쉽게 해결될 것이라'고 하셨으니 아무 걱정하지 마시고 돌아가십시오."

그가 다시 말했다.

"대사님, 그런데 그 일이 그렇게 간단한 일이 아닙니다. 일단 신청을 하면 먼저 인터뷰를 하고 두어 달 있다가 발표를 하게 되어 있습니다."

"하나님께서 이미 이루어졌다고 하셨으니 걱정하지 마시고, 서류 접수 후 비서실에 접수 번호를 알려주십시오. 제가 알아보겠습니다."

그는 접수 번호를 알려주고 한국으로 돌아갔다. 나는 대사관의 관계 주재관을 불러 우리 기업인의 요청이니 중국 유관 기관에 가서 가능한 대로 협조 요청을 해보라고 말했다. 그러자 주재관이 놀란 표정으로 물었다.

"대사님, 어떻게 아셨어요?"

"뭘 어떻게 알아요?"

"아니, 지금 대사님이 말씀하신 그 기관의 장(長)을 제가 잘 아는 것을 어떻게 아셨는지 궁금해서요?"

"내가 그걸 어떻게 알겠어요?"

"이상하네요. 이 기관 책임자가 지난 몇 달 동안 대사관에 찾아와서 저에게 많은 요청을 했습니다. 제가 잘 도와주었더니 지난주에 저를 만나러 와서는 한국대사관에서 자기들을 많이 도와줬는데 자기가 도와줄 게 있으면 꼭 이야기하라고 하고 돌아갔거든요."

그 얘기를 들으니 일이 잘 풀릴 것 같았다.

얼마 지나지 않아 윤 회장이 서울에서 전화를 했다.

"대사님, 이상한 일이 생겨서 전화를 드렸습니다. 지난번 말씀드린 대로 보통 서류를 접수시키면 먼저 인터뷰를 한 다음에 두어 달 있다가 발표합니다. 그런데 인터뷰도 안 했는데 어제 별안간 통과됐다는 연락을 받았습니다. 그럴 리가 없는데, 한번 알아봐주십시오."

나는 주재관을 불러서 윤 회장의 말을 전달하고 어떻게 된 일인지 알아보라고 지시했다. 얼마 후 직원이 와서 보고를 했다.

"이 문제는 그 기관에서 얼마든지 임의로 결정할 수 있는 사안이랍니다. 그래서 책임자가 한국대사관에서 이야기하는 것이니까 인터뷰고 뭐고 무시하고 바로 통과시켜서 서울에 통보해주라고 했답니다."

3월 말에 윤 회장이 다시 전화를 해서 그 기관에서 정식으로 통보를 받았다고 하면서 진심으로 감사하다고 말했다. 한 달쯤 지난 4월 말에 윤 회장이 감사 인사를 하겠다고 다시 베이징에 왔다. 전날 밤 나는 다시 그를 위해 기도하고 하나님의 말씀을 받고 기다렸다. 윤 회장은 지난번 나를 만나고 한국으로 돌아가 그 기도문을 자기 아내에게 보여준 다음 아주 귀중하게 보관하고 있다고 하면서 말했다.

"제가 한국으로 돌아가 어떻게 하면 대사님의 기대에 부응할까 고민하다 오래 전에 목사가 된 친구를 찾아가서 그 교회에다 헌금을 했습니다. 친구가 왜 헌금을 이렇게 많이 하느냐고 묻더군요. 그래서 제가 어떤 고위 공직자의 영향을 받고 자네 교회에 오게 됐다고 하니까, 친구가 누구인지 몰라도 그 분을 위해서 기도하겠다고 했습니다. 제가 그동안 살아오면서 많은 사람들에게서 전도를 받았지만, 대사님처럼 이렇게 강력하게 하나님의 살아 계심을 증거하는 분은 만나지 못했습니다."

그의 말을 듣고 내가 말했다.

"그런데 회장님, 요새 너무 힘드시죠?"

"네?"

"돈을 많이 버니까 힘드시죠?"

"네?"

"'이렇게 돈을 벌다가 내가 죽는 것 아닌가?' 이런 생각 안 하세요?"

"그걸 어떻게 아세요?"

내가 기도문을 꺼내 읽어주자 그가 깜짝 놀랐다.

"정말 놀랍습니다. 사실 전에 사업을 시작할 때는 아침 7시에 출근해서 밤 10시면 집에 들어갔는데, 사업이 잘되다보니까 요즈음은 새벽 5시 반에 나갔다가 밤 12시나 1시가 되어야 집에 갑니다. 가끔 너무 힘이 들어 '이러다가 내가 죽는 것이 아닌가?' 하고 생각할 때도 있었습니다. 아무래도 대사님 말씀대로 돌아가서 사업을 축소해야 할 것 같습니다."

그는 나에게 기도문을 받아 가지고 한국으로 돌아간 다음 사업을 축소했다. 그리고 아주 실속 있고 훌륭하게 기업을 운영하여 지금도 매우 유능한 사업가로서 활발히 활동하고 있다.

2008년 내가 통일부 장관으로 임명되고 나서 다시 그를 만날 기회가 있었다. 그가 나에게 말했다.

"장관님께서 주신 기도문 두 장은 액자에 넣어 방에 걸어놓고 매일 보고 있습니다. 우리 부부는 교회에 나가기로 결정했습니다. 사전에 정리할 일들이 있어 시간이 다소 필요하지만 앞으로 반드시 교회에 나갈 것입니다."

나는 그 후에도 그를 위해 계속 기도했다. 왜냐하면 하나님께서 그를 사랑하셔서 그에게 자신이 살아 계심을 보여주셨으며, 그의 믿음을 통하여 사업은 물론이고 그 집안과 자손을 축복하시기를 원하신다고 믿기 때문이다.


## 한류의 선봉에 서다

내가 주중대사로 근무하는 동안 연예인 장나라 양을 자주 만날 기회가 있었다. 그녀는 초등학교 5학년 때 연극 〈레미제라블〉에 출연한 이후 연예계에 뜻을 두다가 2001년 1집 앨범 〈눈물에 얼굴을 묻는다〉로 가수로 정식 데뷔했다. 중앙대학교 연극영화과를 졸업한 다음, 어느 연예인보다 빠르게 중국에 진출하여 한류의 흐름을 주도하면서 가수와 연기자로서 명성을 굳히고 있다.

어느 날 나라 양이 부친 주호성 씨와 함께 나를 찾아오기로 되어 있었다. 만나기 전날 그녀를 위해 기도했더니 하나님께서는 그녀의 마음을 깊이 위로하시면서 축복하는 말씀을 주셨다. 다음 날 만나서 이야기하는 중에 그녀가 믿는 사람이라는 것을 알게 되었고, 하나님께서 주신 말씀에 따라 그녀를 위로하고 축복했다. 내 말을 들은 나라 양이 깜짝 놀라면서 나와 자기 아버지의 얼굴을 번갈아 쳐다보았다. 부친이 자신의 사정을 내게 미리 가르쳐주지 않았나 생각하는 것 같았다. 내가 말했다.

"나는 나라 양의 아버지와 통화한 적이 없어요. 오늘 아버지를 처음 뵙는 거예요."

나라 양이 돌아간 후 나는 그녀가 한국과 중국의 젊은이들에게 미치는 영향력을 생각해서 기도하기 시작했다.

앞서 말했듯 당시 주중대사관에서는 1년에 두 번씩 중국의 각 지방 정부와 우호주간행사를 개최했다. 우호주간행사 대표단은 무역투자 사절단과 문화공연단으로 구성된다. 나는 2005년 5월 26일부터 30일까지 쓰촨성(四川省) 성도인 청두(成都) 및 충칭과의 우호주간 행사와 2006년 11월 19일부터 23일까지 산시성 및 안후이성과의 우호주간 행사 문화공연단에 장나라 양을 포함시켰다.

그녀에 대한 중국인들의 반응은 매우 뜨거웠다. 특히 중국 젊은이들의 반응은 폭발적이었다. 공연장에 성 정부의 당서기나 성장이 참여해 분위기가 아주 엄숙했지만, 그녀가 무대에 나타나기만 하면 열광의 도가니로 변했다. 그야말로 한류의 선봉장이었다. 청두와 충칭에서의 문화공연은 매우 성공적이었다.

2007년 5월에 나라 양이 베이징에 온 기회에 내게 인사하러 오고 싶다고 했다. 5월 14일 오후에 만나기로 약속하고 그녀를 위해 기도했다. 하나님께서는 축복하는 말씀을 주셨다. 약속 당일 나라 양 일행이 찾아와서 이야기가 끝난 다음, 나는 하나님께서 주신 말씀을 나라 양에게 설명해주었다. 그녀는 기도를 듣고는 눈물을 흘리면서 앞으로 교회도 열심히 나가고 기도도 열심히 하겠다고 약속했다.

약 한 달 후, 충칭에서 발행되는 한인신문인 《충칭저널》에서 나에게 6월 15일자 신문을 보내왔다. 그중에 이런 기사가 있었다.

### 인기 뒤의 외로움 - 하나님 만나 극복
### 김하중 대사의 기도와 권면이 내 인생의 전환점

앳된 얼굴, 어린아이 같은 천진난만한 웃음으로 학생들에게 인기가 많은 장나라. 그녀의 웃음을 닮고 싶다는 학생들에게 장나라는 자신의 삶과 행복의 비결로 꼽은 하나님과의 사랑 이야기를 털어놓았다.
"가수라는 직업은 제가 네 살 때부터 꿈꾸던 일이었어요. 하지만 그렇게 좋아하던 일을 하면서도 시간이 지나자 점점 회의가 들기 시작했죠. '인기 가수, 유명 연예인, 한류 스타'라는 화려한 수식어들은 오히려 저를 더 힘들게 했어요. 마음을 터놓고 지낼 친구도, 의지할 이웃도 없었기 때문이죠. 제가 한창 힘들어하던 중 신실하신 김하중 주중대사님이 저를 위해 기도하시고 해주신 말씀이 제 마음과 인생을 180도 바꾸어놓았습니다."

믿음의 선배가 들려준 이야기는 "힘들 때마다 너는 혼자 울고 있다고 생각하지만, 네 옆에 하나님께서 너와 함께 울어주고 계셔. 너보다 더 가슴이 아프게, 더 큰 울음으로 말이야"라는 것이었다. 그 이야기를 듣고 장나라는 마음의 평안을 찾게 되었다고 회상했다.

이후 어려운 이웃을 돌아보게 됐고, 도움을 전할 줄도 알게 되었다고 고백했다. 그는 한국과 중국을 넘나들며 선행과 기부 활동을 펼쳐 양국으로부터 표창장을 받은 모범생으로도 유명하다.

"혼자인 줄 알았는데, 나와 함께 울어주는 하나님이 계시다니 이보다 어떻게 더 행복할 수 있겠어요. 어려서부터 세상일을 하다보니 정작 가장 중요한 일을 잊고 있었나봐요."

1천여 명의 젊은이들 앞에서 장나라는 이와 같이 신앙 고백을 했다.


## 기도하는 자가 받는 위로와 축복

2007년 상반기 우호주간행사를 7월 10일부터 15일까지 톈진(天津)과 산둥성에서 개최하기로 결정했는데 그해 예산이 부족해서 행사를 준비하면서 많은 어려움을 겪었다. 문화공연을 위한 연예인 초청 비용이 문제였다. 특히 장나라 양은 이미 중국 젊은이들 가운데서 가장 유명한 연예인이었기 때문에 그녀를 초청하려면 많은 돈이 필요했다. 그래서 나는 대사관 관계관을 통해 나라 양의 부친에게 예산이 많이 부족하지만 혹시 그녀가 출연해줄 수 있는지를 물었다.

그런데 뜻밖에도 한중 관계 증진을 위한 일이니 무료로 봉사를 하겠다는 연락이 왔다. 나는 정말 감사했다.

7월 13일에 산둥성에서의 우호주간행사를 마친 후, 나는 감사의 뜻으로 나라 양과 그녀의 부친을 따로 만났다. 그리고 대사관 행사에 협조해준 것에 대하여 깊은 감사를 표했다.

"나라 양, 40여 년 전에 많은 사람들이 내가 중국어를 배우고 중국 문학을 공부하는 것에 대하여 우습게 여겼지만, 나는 그런 것에 신경 쓰지 않고 열심히 노력하여 주중대사까지 되었어요. 나라 양도 지금은 여러 가지 어려움이 많겠지만 당장 눈앞에 있는 것만을 생각하지 말고 앞으로 10년 내지 20년을 내다보고 활동하세요. 그러면 나라 양은 이 중국 땅에서 커다란 영향력을 가진 사람이 될 거예요. 그렇게 믿고 하나님께 기도하세요. 하나님께서 반드시 그렇게 만들어주실 겁니다."

장나라 양은 하나님께서 사랑하시는 사람이다. 그렇기 때문에 그가 하나님께 순종하면서 끊임없이 기도하면 한국은 물론이고 중국에서도 높이실 것이 확실하다.

최근에 국내 언론에서 나라 양에 관계된 기사들을 보면서 하나님께서 그녀를 보호해주시기를 기도했다. 연예계에 몸담고 있는 한, 앞으로도 여러 공격이나 어려움은 계속될 것이다. 그러나 그때마다 하나님께서는 그녀를 지켜주실 것이다. 왜냐하면 하나님께서는 그녀를 통하여 수많은 젊은이들을 구원하시기를 원하시기 때문이다. 나는 그러한 날이 빨리 오기를 기다리고 있다.

## 칭다오에서 온 편지

중국에서의 최초 3년은 정말 고통의 연속이었다. 음식도 입에 맞지 않고, 말도 못 알아듣고, 큰 나라이다보니 비행기나 차를 타는 시간이 상상을 초월할 정도였다. 도무지 정신을 차릴 수가 없었다. 하루가 멀다 하고 타야 하는 비행기는 왜 그렇게 무서운지 공항에만 가도 현기증이 났다.

그런 와중에 한 번은 한국 영사관 개관 행사에 참여하여 김하중 대사님을 뵙게 되었는데, 기도하실 때 나를 위한 기도도 하신다고 말씀하셨다. 주중대사님이시니까 으레 하시는 격려의 말씀이려니 했는데, 어느 날 나에게 하나님의 말씀이라고 하시면서 기도문을 읽어주셨다.

"딸아, 네가 어찌하여 모든 것이 어두우냐? 즐거워도 즐겁지가 않고, 기뻐도 기쁘지 않구나."

내 마음을 투명하게 들여다보는 듯한 말씀이었다. 사실 대사님을 처음 뵈었을 때 나는 많은 부분에서 방황하고 있었다. 우선은 원인도 없이 찾아드는 우울함이 나의 생활을 온통 뒤덮고 있었다. 남들이 부러워하는 큰 상을 받아 들고 기자들 앞에서 포즈를 취하고 돌아서면 우울해졌다. 그러지 않으려고 노력해도 우울했다.

처음에 대사님이 나를 위해 기도하신다는 말씀을 들었을 때 아버지를 의심했다.

'아버지가 내 우울함을 걱정하다가 대사님께 상담하신 것은 아닌가?'

그런 의심이 들고 보니 어딘지 대사님과 아버지의 동그란 눈이 닮아 보이고, 무언가 나에 대한 의논이 있어서 달래려고 하는 말씀처럼 들리기만 했다. 그러나 대사관에서 하는 우호주간 행사가 청두, 충칭, 산시, 안후이, 텐진, 산둥 등으로 이어지며, 차츰 대사님의 신앙생활에 대해서 알게 되었고, 그럴수록 그런 의구심은 사라졌다. 그런 와중에 대사님께서 내게 해주신 하나님의 말씀들이 내 마음속 깊숙이 커다란 흔들림으로 다가왔다.

대사님 앞에 모든 것이 솔직해졌다. 내 마음속 답답함의 정체가 무엇인지 어렴풋이 알 것 같았고, 그동안 바빠서 잊어버렸던 기도만이 그 해결이라는 깨달음도 생겼다. 마음이 편안해지고 먹구름이 걷히듯 맑아졌다. 이런저런 대화를 나누다가 대사님은 내게 무엇이 가장 힘드냐고 물으셨다. 아마 중국 내에서 활동하는 중 애로 사항을 말하라는 질문이셨던 것 같은데, 나는 현실적으로 힘든 '두려움'을 말씀드렸다.

"비행기요. 비행기 타는 게 제일 힘들어요. 비행기가 많이 흔들리면 정말 죽고 싶어요."

대사님은 동그란 눈을 더욱 동그랗게 뜨면서 말씀하셨다.

"비행기? 야단쳐! 나라 양이 중국에 온 것은 주님 뜻이야! 주님 뜻으로 가는데 제까짓 게 뭔데 흔들려? 나라 양, 비행기를 야단쳐!"

하마터면 웃음이 터질 뻔했다. 그러나 들을 때 우스꽝스러웠던 그 말씀은 이후에 참 많은 위로가 되었다. 대사님으로 인해 기도를 다시 찾았다.

나는 기도하면서 살고 있지만, 교회에서 간증을 해본 적은 별로 없다. 내 프로필에 종교가 기독교라서 그런지 많은 교회에서 간증이나 찬양을 요청했지만 대부분 사양했고, 여러 가지 개인적 관계로 인해 어쩔 수 없이 서게 된 한두 번의 자리에서도 내 간증보다는 믿음으로 병마와 싸우며 갖은 역경을 헤치고 살아가시는 이모할머니에게 일어난 기도의 능력을 이야기했다.

연예인이다보니 언제라도 본의 아닌 구설에 쉽게 휘말리기도 하고, 내가 바라지 않는 일들이 일어날 수 있는 처지라, 자칫 오늘 영광을 돌리는 간증을 했다가, 내일 그 영광의 몇십 배 되는 손가락질을 돌릴 수 있다는 두려움에 감히 간증의 자리에 설 수 없었다.

그런데 어느 날, 아버지가 어려서 출석하던 교회에서 간증을 해달라는 부탁을 받았다. 아버지도 간증에 대한 내 의견에 언제나 동의했기 때문에 말씀 꺼내기가 어려웠던지 곁에서 혼잣말처럼 중얼거리셨다.

"동창 녀석들이 하도 졸라서… 딸 한번 데려오는 게 뭐 그리 힘드느냐는 데 할 말이 없어서…."

나는 아버지의 동그란 눈을 쳐다보다가 문득 김하중 대사님 생각이 났다. 대사님으로 인해서 내가 기도생활을 다시 할 수 있게 된 이야기와 비행기를 타면서 훨씬 용감해진 이야기를 하면 간증이 될 수 있겠다는 용기가 생겼다.

"아빠, 김하중 대사님 이야기하면 어떨까? 그게 간증이 되지 않을까?"

아버지의 눈이 빛났다.

"충분하지, 네 마음을 솔직하게 이야기하면 훌륭한 간증이지…."

나는 아버지의 초등부, 중고등부 시절의 친구 분들이 장로님으로 계신 교회 강단에 서서 생애 최초로 내 간증을 했다.

"두려움은 내 마음 안에 있던 것이었습니다. 김하중 대사님이 그 두려움들을 내쫓고 비행기 탈 수 있는 용기와 기도하는 생활을 돌려주셨습니다."

김하중 대사님은 내 인생에 정말 큰 것을 주셨다. 훗날 장관도 지내셨지만, 중국에서 활동하는 내 마음속에서는 아직도 주중대사님이시다.

Ambassador Of God

하나님은 정말로 놀라우신 분이다.
자기의 종이 눈물로 한 기도를 들으시고, 나를 보내시면서 말씀을 주시고
이를 통해 낙담하여 사역을 포기하려던 종을 다시 일으키셨다.

·
·
·


## 2001년 10월에 주중대사로

부임하여 대한민국 정부의 특명전권대사이자 하나님의 대사로 살기로 작정한 나에게 가장 중요한 임무는 하나님의 종들과 백성들을 돕는 일이었다. 그래서 먼저 중국에 있는 한인교회 중에서도 베이징에 있는 교회들부터 돕기로 했다.

당시 베이징에는 10개 정도의 한인교회가 있었는데 베이징 21세기 교회를 제외한 나머지 교회들은 아주 작은 규모였다. 그래서 나는 특정한 교회에 계속 가기보다는 가능한 한 많은 교회를 돌아다니면서 그들을 위로하고 돕기로 했다.

## 하나님의 종들을 돕다

주중대사는 세상적으로 보면 아주 중요한 자리이기 때문에 많은 사람들이 나를 만나고 싶어 했다. 그러나 나는 사람들을 만날 때 엄격한 기준을 적용했다. 나라와 민족을 위한 일이라면 밤낮을 가리지 않고 사람을 만났지만 공식적인 접촉이 아닌 개인적인 접촉은 가급적 자제했다. 그래서 주중대사로 근무하는 6년 반 동안, 외부 인사들이 공식적인 일 외에 개인적으로 나를 만나기는 매우 어려웠다.

그러나 나는 일정이 바빠도 목사님이나 선교사님이 면담을 신청하면 가능한 대로 시간을 내라고 비서실에 지시했다. 그래서 실제로 아무리 바쁘더라도 그 분들을 만났으며, 시간이 날 때마다 목사님과 선교사님들을 위해 기도했다.

주일이면 베이징 구석구석을 다니면서 어느 교회가 어려움에 빠졌는지, 내가 무엇을 도와주어야 하는지 알려고 노력했다. 대사관 직원들 중 어떤 이는 골프장에서, 어떤 이는 가족들과 함께 여행을 하거나 즐거운 시간을 보내고 있을 때, 대사인 나는 항상 작은 교회에서 예배 드리고, 가난하고 연약한 하나님의 백성들과 시간을 보내려고 노력했다. 그래서 대사관에서 중국에 거주하는 한국인들의 실상과 어려움을 가장 잘 아는 사람 중 한 명이 대사였다.

그렇지만 나는 그들과 보낸 시간이 참으로 행복했으며, 그들에게 도움을 줄 수 있을 때마다 그러한 기회를 주신 하나님께 감사했다. 하나님께서는 이런 나의 마음을 아시고 놀랍게 역사하셨다. 하나님께서 나를 특정 교회에 보내셔서 격려의 말을 하게 하시고, 어떤 때는 어느 교회에 헌금을 하라고 하셨는데 거기에는 다 하나님의 깊은 계획이 있었다. 나는 내가 그렇게 사용되는 것을 보면서 깊이 감사했고, 계속 사용하시도록 기도했다. 그럴수록 하나님께서는 더욱 강력하게 나를 통해 역사하셨다.

이후 소개할 베이징에 있는 다섯 교회의 이야기는 지금까지 내가 경험한 놀라운 일들 중 일부에 불과하다. 그러나 이 책을 읽는 독자들은 이 이야기들을 통해 생생하게 살아 계신 하나님과 그 하나님께서 우리의 삶에 얼마나 강력하게 역사하시는지를 경험하게 될 줄 믿는다.


## 교회를 위로하시는 하나님

베이징 안디옥교회 전진국(김무선) 목사님은 16년 전에 중국에서 사역을 시작하셨고, 베이징 21세기교회 박태윤 목사님과 함께 베이징에서 가장 오래 사역한 분이다. 전 목사님의 설교에 깊은 감동을 받은 많은 젊은 외교관들이 전 목사님을 모시고 성경 공부를 했는데 나도 시간이 날 때면 참여하곤 했다.

내가 안디옥교회를 처음 방문한 것은 2002년 5월이었다. 그때 전 목사님은 한국에 잠깐 들어가신 터라 만나지 못했고, 2003년부터 목사님과의 본격적인 교제가 시작되었다. 그리고 2005년 말부터는 나와 전 목사님 사이에 많은 이야기들이 생기기 시작했다.

2006년 1월 1일 주일 아침이었다. 하나님께서 그해 첫 예배를 안디옥교회에 가서 드리라는 마음을 주셔서 아내와 함께 갔다. 예배 후 목사님과 식사를 하면서 여러 가지 이야기를 나누었다.

그 다음 날, 전 목사님께서 나에게 메일을 보냈다.

늘 기도해주시고, 꼭 필요할 때에 주님의 통로가 되셔서 격려해주심
에 다시 한 번 감사드립니다. 지난번에 있었던 교회의 어려움이 거의
1년 만에 다 정리가 되었습니다. 새해에 주께서 장로님께 복에 복을
더하시고 지경을 넓게 하시기를 기도하겠습니다.

그해 11월 초였다. 전 목사님을 위해 기도하는데, 하나님께서 교회
이전(移轉)에 관해 말씀하셨다. 나는 다음 날 성경 공부를 인도하러 오
신 목사님께 이런 내용을 전했다.

그날 저녁 목사님이 나에게 이메일을 보냈다.

오늘도 은혜 중에 성경 공부를 마치고 돌아올 때에 말씀을 주셔서 감
사합니다. 교회 이전에 대한 말씀을 주셨는데 사실 기도하고 있던 문
제였습니다. 대사님께서 전혀 모르시는 일일 텐데, 아버지께서 정확
하게 가르쳐주심에 감동이 됩니다. 모든 일들이 주 안에서 이루어지
길 기도합니다. 장로님이 이 땅에 계셔서 참 행복합니다. 많은 힘이
됩니다.

2006년부터 나는 안디옥교회의 비준(교회 장소 허가)을 위해 움직이
기 시작했다. 베이징에서 가장 오래된 교회 중의 하나로서 당연히 비

준을 받아야 함에도 불구하고 너무 오래 지연되고 있었다. 2007년까지 2년 동안 교회의 비준을 위해 나는 유주열 총영사와 안디옥교회 교인이자 대사관 문화원장인 박영대 참사관과 힘을 합쳐 최선의 노력을 다했다. 그러나 비준은 성사되지 않았다. 무언가 보이지 않는 힘이 끝까지 방해하는 것 같았다. 단순히 비준의 문제가 아니라 거대한 영적 싸움이었다.

나는 2008년 2월 말에 정권이 바뀌면 틀림없이 중국을 떠날 것이라 생각하고 내가 대사로 있는 동안 비준이 나오기를 소망하고 기도했다. 하지만 안타깝게도 그 소망은 이루어지지 않았다. 비록 눈에 보이는 성과는 없었지만 하나님께서는 나의 노력을 알고 계실 것이며, 언젠가 그에 대한 풍성한 상급을 주시리라 믿기에 실망하지 않는다. 오히려 내일의 싸움을 위해, 더 강력하게 안디옥교회와 전진국 목사님을 위해 기도할 것이다.

### 베이징 안디옥교회에서 온 편지

2003년에 야윈춘(亞運村) 리캉호텔에서 예배드릴 때 대사님이 오셔서 조용히 뒷자리에서 예배를 드리셨습니다. 사실 대사님이 우리 교회에 오실 것이라고는 생각지도 못했습니다. 그러다 교회를 왕징(望京)으로 옮기게 되었고, 우리 모임에 큰 어려움이 있었습니다. 그때 총영사와 참사관들을 해당 기관에 보내서 문제를 해결해주신 것을 잘 알고 있습니다. 이 땅의 교회를 돌봐주시고, 하나님나라를 위해서 최선을 다하시는 대사님께 참 감사합니다.

대사님께서 교회를 향한 주님의 마음을 받고 한 교회가 아닌, 중국 전체 교회를 향한 메신저 역할을 하심에 큰 감동을 받았습니다. 교회가 어려울 때 어떻게 아셨는지 메일을 보내주시고, 오셔서 말씀을 나눠주셨던 것이 얼마나 힘이 되었는지 모릅니다.

대사님께서 저와 깊은 교제를 하기 전부터 눈물로 저와 안디옥교회를 위해 기도를 드렸다는 편지를 받았을 때 그 말씀을 그대로 받기가 어려웠습니다. 제 부모님도 아닌데 어떻게 그런 구체적인 기도를 드릴 수 있을까 의심했습니다.

기도를 통해 하나님께로부터 받으신 말씀도 어떻게 받아들여야 할지 많이 고민했습니다. 왜냐하면 성경으로 계시가 끝났기 때문입니다. 그러나 특별계시는 끝났지만, 성령을 통해서 이뤄지는 구체적인 인도의 계시는 여전히 유효하다는 사실을 장로님을 통해 알게 되었습니다. 성령님이 사람을 감동시키실 때 마음으로만 감동시키실 뿐 아니라 구체적으로 당신을 알게 하시려고 여러 가지 방법을 사용하신다는 걸 알게 된 것입니다.

제가 정말 어려웠을 때에 한국의 여러 교회들과 목사님이 기도해주셨습니다만, 그 어려움의 현장 가까이에서 관심을 가져주시고, 실제적인 조치를 취해주시고, 정확히 그 내용까지 하나님께로부터 받아서 기도와 위로를 해주신 분은 없었습니다.

신학교에서 배운 것이 이론이라면, 목회는 사단이 교회를 여러 방면으로 무너뜨리려고 하는 실제였습니다. 교회를 위해서 기도하시면서 분열의 영(靈)이 있다는 말씀을 하셨을 때 깜짝 놀랐습니다. 교회 외부적으로도 힘들었지만 내부에서 일어나는 갈등이 저를 더 지치게 했기 때문입니다.

너무 힘들어서 목회를 그만두려고 한 적도 있었습니다. 그때마다 대사님은 어떻게 아셨는지 "목사님 담대하십시오. 반드시 안디옥교회가 크게 일어설 날이 올 것입니다"라고 위로해주셨습니다. 저는 대사님이 보내주신 편지로 얼마나 큰 위로를 받았는지 모릅니다. 아마 누구든지 이런 편지를 받는다면 똑같은 위로를 받을 것입니다.


하나님 아버지,
제가 너무 힘들고 괴롭습니다.
사역이 너무 어렵습니다.
저는 의지할 곳이 없습니다.
아버지께서 도와주시지 않는 것 같아
어떤 때는 아버지가 원망스럽습니다.
저는 이해할 수가 없습니다.
왜 이렇게 사역이 안 되는지를 알 수가 없습니다.
하나님, 저를 불쌍히 여겨주시옵소서.
저를 도와주시옵소서.


사랑하는 아들아! 네가 지금 힘들고 괴로운 것을 내가 다 아노라.
그러나 너는 참아야 한다. 그리고 반드시 이겨내야 한다.
네가 지금 받는 어려움은 고통이 아니다.

내가 받은 고통을 생각해보아라.

사랑하는 내 아들아, 나는 너를 사랑한다.

네가 나를 위해 눈물로 기도하는 것을 다 알고 있고,

다 보고 있으니 안심하여라.

나는 앞으로 너를 아주 귀하게 사용할 것이다.

너는 그때를 대비하여야 한다.

너는 실망하지도 말고 괴로워하지도 말아야 한다.

내가 언제 어디서든지 너와 함께할 것이니

너는 오히려 기뻐해야 할 것이니라.

눈에 보이는 것 때문에 괴로워하거나 슬퍼하지 말라.

그것이 전부가 아니니라.

네가 나를 얼마나 사랑하는지 잘 알고 있으니

너는 오직 나만 믿고 의지하라.

내가 너를 지켜주리라. 내가 너와 함께할 것이니라.

네 교회는 창대케 될 것이며,

네가 원하는 모든 것이 다 이루어질 것이니라.

그때 너는 기뻐 뛰며 나를 찬양할 것이니라.

다른 사람을 미워하지 말라. 오직 사랑하라.

주변에서 너를 욕하는 사람이 있어도 개의치 말아라.

내가 너를 지켜줄 것이니라.

너는 나의 사랑하는 종이니라.

내가 너를 심히 사랑하노라.

중국 땅에 뼈를 묻다

참빛교회는 베이징 시내 우다커우(五道口)라는 지역에 있다. 그 교회 담임목사님인 민춘화 목사님(생전에는 '북경을 지킨다'는 뜻의 '경수京守'라는 이름을 사용)은 2007년 12월 31일 베이징에서 소천하셨다. 10여 년간 중국 땅에 복음을 전파하기 위해서 헌신적으로 사역하시다가 자신이 그렇게 사랑하던 베이징 땅에 뼈를 묻으셨다.

2004년 12월 말에 나는 베이징 한인교회연합회 목사님들을 위한 저녁 식사 자리에서 민 목사님을 처음 만났다. 식사가 끝나고 헤어질 때, 목사님은 자신을 위해 기도해달라고 부탁했다. 나는 그러겠다고 하고 목사님을 위한 기도를 시작했다. 그러던 중 2005년 7월 8일 밤에 목사님을 위해 기도하는데, 기도가 너무 어렵게 나왔다.

나는 기도를 중단하고 민 목사님에게 전화를 했다.

"목사님, 혹시 힘든 일이 있으세요?"

"아무 일도 없습니다."

"그러세요? 그러면 됐습니다. 앞으로 혹시 어려운 일이 있으시면 언제든지 연락하시고, 필요한 일이 있으시면 저를 찾아오십시오."

며칠 후에 목사님으로부터 연락이 왔다.

"대사님을 좀 뵙고 싶습니다."

7월 13일 오후에 목사님 부부가 대사관을 방문했다.

"며칠 전 대사님이 전화하셔서 무슨 일이 있느냐고 물어보셨을 때, 사실 일이 있었지만 차마 전화로 말씀드리지 못했습니다. 대사님 같은 높은 분이 조그만 교회 목사를 위해 기도하시고 전화까지 걸어주신 것에 너무 놀랐습니다. 다음 날 아침에 교인들한테 얘기했더니 모두들 감동받고 감사하고 있습니다. 사실 요즈음 사역이 너무 어려워서 제 심신이 피폐해졌습니다. 기도를 할 수 없을 정도로 힘이 듭니다. 그러나 이번에 대사님 전화를 받고 큰 위로와 은혜를 받았습니다. 이제 저도 기도를 많이 하겠습니다."

목사님은 이렇게 말하면서 눈물을 흘렸다. 나는 걱정하지 마시라고 하면서 목사님을 위로했다.

그로부터 약 한 달 후인 8월 19일 오후에 비서관을 통해 민 목사님의 사모님이 급히 통화를 원한다는 말을 들었다. 나는 무슨 일인가 생각하면서 전화를 했다. 사모님은 다급한 목소리로 사정을 이야기했다.

"대사님, 남편이 지금 몸이 아파 입원 중이라 전화를 할 수 없는 상황입니다. 그래서 제가 대신 전화를 드렸는데, 좀 도와주십시오."

"무슨 일이십니까?"

"우리 교회 부근 파출소에서 교회가 불법 집회를 하고 있으니까 출두하여 조사를 받으라고 합니다."

목사님이 입원해 있는 상황이어서 사모님이 대신 가고 있다는 것이었다. 사모님은 만약 자신이 가지 않으면 경찰이 강제로 교회 문을 닫게 할 것 같다면서 떨리는 목소리로 말했다.

"대사님, 꼭 도와주십시오."

"사모님, 아무 걱정 마십시오. 제가 알아서 하겠습니다."

전화를 끊고 나는 하나님께 기도했다.

'하나님, 어떻게 사랑하는 종들을 이렇게 힘들게 하십니까? 목사님

과 교회에 아무 일이 생기지 않도록 도와주십시오.'

나는 즉시 대사관에서 종교를 관장하는 유재기 참사관과 경찰주재관에게 베이징 종교국과 연락하는 동시에 참빛교회 옆에 있는 파출소와 접촉하여 교민 보호에 관한 대사관의 입장을 강력히 전달하라고 지시했다. 파출소에서는 목사 사모를 오라고 했는데, 별안간 대사관에서 전화가 오니까 깜짝 놀란 모양이었다. 그들은 파출소에 출두한 사모님에게 다음 주에 조사하겠으니 일단 돌아가라고 했다.

며칠이 지나 파출소에서 다시 목사님에게 출두하라고 연락이 왔다. 그러나 교회에서는 목사님이 직접 갔다가 혹시라도 무슨 일이 생기면 목회가 안 되니까 전처럼 사모님이 대신 가기로 했다고 나에게 연락을 해왔다. 그날 오후 사모님이 파출소에 갈 때, 나는 대사관의 종교 담당 참사관과 경찰주재관에게 파출소에 직접 가서 사모님을 도와드리라고 지시했다. 파출소에서는 목사 사모가 출두하는데, 대사관의 참사관과 경찰주재관이 직접 온 것을 보고 놀랐는지 조사도 하지 않고 사모님을 다시 돌려보냈다.

그 후 나는 목사님이 요청할 때마다 참빛교회 예배에 참석해서 격려해드렸다. 예배가 끝난 다음에는 목사님 부부를 비롯한 교인들과 점심을 함께하곤 했다. 그 자리에는 가끔 베이징 종교국의 부과장급 관리나 파출소 관계자들도 참석했는데, 그들은 대사가 그 자리에 앉아 식사하는 것을 보고 놀라는 표정을 짓곤 했다. 내가 그렇게 한 것은 교회의 비준을 위해서였다.

중국에서 사역하시는 목사님들이 가장 원하는 것은 지방 정부의 비준을 받는 것이다. 민 목사님도 마찬가지였다. 교회가 작고 재정이 어려워 사모님이 김치를 만들어 파시며 참으로 많은 고생을 했다. 나는 영혼을 구원하기 위해서 중국까지 오셔서 땀 흘리며 수고하시는 목사님 내외분을 보면서 늘 안타까웠다.

그런데 어느 날 목사님께서 아프시다는 소식을 들었다. 나는 기도하면서 목사님에게 권고했다.

"목사님, 이제 당분간 사역을 내려놓으시고 한국에 가서 치료를 받고 다시 돌아오시지요."

하지만 목사님은 한국으로 돌아가시지 않고 계속 사역을 했다. 그러던 중 교회의 비준이 떨어졌고, 목사님은 병상에서 비준서를 받았다. 참빛교회가 비준을 받게 된 것은 이와 같은 민 목사님의 크나큰 헌신에서 나온 것이었다. 이로써 참빛교회는 베이징에서 정식으로 비준을 받은 몇 개 안 되는 교회가 됐다.

그런데 2007년부터 민 목사님의 건강이 급격히 악화되었다. 나는 목사님의 건강을 위해서 계속 기도했다. 때로는 약도 보내드리고 경제적으로도 도와드리려 노력했다.

그해 12월 31일, 연말이라 여러 행사에 참석하느라 바쁘게 지낼 때였다. 오후에 비서관이 와서 보고를 했다.

"민 목사님께서 돌아가셨답니다."

나는 너무 슬펐다.

'아! 목사님께서 기어코 중국 땅에 뼈를 묻으시는구나.'

나는 다른 약속을 미뤄두고 문상을 갔다. 목사님 댁은 시내에서 약간 떨어진 데 있었다. 집에 가보니 사모님과 두 아들이 나와 함께 찍은 큰 사진 앞에 앉아 있었다. 나는 가족들의 손을 잡고 기도하고 위로한 다음에 돌아왔다. 다음 날은 베이징에 있는 목사님들이 팔보산에 모여서 민 목사님의 천국 환송 예배를 드렸다.

### 베이징 참빛교회에서 온 편지

16년 전에 중국 베이징에 '니하오'(你好)와 '씨에 씨에'(謝謝) 두 단어만 알고 들어와서 모든 것이 낯설고 신기한 가운데 정신없이 살았습니다. 때로는 너무 힘들고, 지치고, 외로워서 많이 울었습니다. 그러던 중 민 목사가 대사님과 만나게 되었습니다. 남편이 대사관에 가던 날 이 기회를 놓칠까 싶어 같이 갔습니다. 대사님과 사진도 찍고, 대사님 말씀에 감정이 복받쳐서 울기도 했습니다. 짧은 만남이었지만 잊을 수 없는 순간이었습니다.

면담이 끝나고 나올 때쯤 대사님께서 저에게 흰 봉투를 주셔서 감사하고 송구스러웠습니다. 대사관을 빠져 나와 봉투를 열었더니 500불이나 되는 돈이 들어 있었습니다. 꿈에도 생각지 못한 일이라 놀랍고, 감사하고, 송구스러웠습니다. 지금도 그때를 생각하면 가슴이 두근두근합니다. 그 일 이후로도 몇 번씩이나 비서관을 통해 대사님의 세심한 배려를 느꼈습니다. (중략)

대사님을 뵙고 난 뒤 얼마 되지 않아 경찰서에서 출두하라는 연락이 왔습니다. 그때서야 저희 부부는 얼마 전에 대사님이 전화로 아무일 없냐고 물으신 일이 떠올랐습니다. 가슴이 뛰고 숨이 멎는 것 같았습니다. 당시 남편은 간경화로 인해 건강이 매우 좋지 않았습니다. 조금만 피곤하거나 스트레스를 받으면 밤에 자면서 입에 거품을 물었습니다. 가끔 간(肝) 혼수도 있었고, 조금만 힘이 들면 다음 날 아침에 일어나질 못했습니다. 그래서 남편 대신 제가 경찰서에 가기로 했습니다. 남편이 경찰서에 가서 취조를 당하면 스트레스로 인해 쓰러질지도 모르고, 중국은 남자보다는 여자들에게 많이 너그럽기도 하고, 나는 외국 여자라 조금 더 수월하리라 생각한 것이지요.

저는 어려운 상황을 잘 이겨낼 수 있도록 지혜를 주시라고 하나님께 간구했습니다. 그리고 먼저 대사님께 알려야겠다는 마음이 들어서 대사님 비서관에게 전화하고서 경찰서로 향하던 중에 택시 안에서 대사님의 전화를 받았습니다. 불안하고 조마조마했던 마음이 대사님과의 통화로 여유가 생기고 평안해졌습니다.

경찰들에게 취조를 받은 일로 인해 저는 유명 인사가 되었습니다. 경찰은 도대체 이 여자가 누구이기에 대사관에서 그것도 주중대사가 보호를 하나 의아해했답니다. (중략)

남편이 병원에 입원해 있을 때 교회 장소 허가증을 얻었습니다. 그날 감사함에 많이 울었습니다. 13년 동안의 수고와 고생이 헛되지 않았음을 확인받은 것 같았습니다. 받은 즉시 병상에 누워 있던 남편에게 전했습니다.

"참빛교회 비준은 김하중 대사님이 하신 거야. 3분의 2는 대사님이 하셨고, 3분의 1은 당신이 발로 뛰어다녀서 얻은 노력의 결실이야. 수고 많이 했어요."

남편은 병상에서 눈물로 주님께 감사 기도를 했습니다. (중략)

민 목사가 소천한 다음 날인 12월 31일 저녁 대사님께서 문상을 오셨습니다. 연말에 공사다망하신데도 불구하고 검은 넥타이로 예를 갖추신 모습을 보고 놀라고 감동했습니다. 말로 표현할 수 없는 위로를 받았고요. 그날 대사님이 주고 가신 부의금은 아직도 쓰지 않고 보관하고 있습니다. 언젠가 우리 자손들에게 김하중 대사님이 주신 부의금이라고 자랑할 겁니다. 사랑하던 남편은 먼저 주님 곁으로 갔지만, 저는 지금 행복하게 두 아들과 잘 지내고 있습니다. 하나님의 대사 김하중 장로님과 그 가정 위에 평강의 복이 넘치시길 기도드립니다.

나는 지금도 민 목사님을 생각하면 마음이 저려온다. 그러면서도 사모님의 꿋꿋하고 사랑이 넘치는 모습을 생각하면 절로 미소가 지어진다. 민 목사님은 비록 일찍 돌아가셨지만 그 분이 흘리신 땀과 피와 눈물은 중국 선교에 중요한 밑거름이 될 것이다. 그리고 거기에는 보이지 않는 곳에서 목사님을 도운 사모님의 눈물과 사랑과 헌신이 함께 녹아 있다. 비록 연락은 자주 못하지만 하나님께서 민 목사님의 충성을 기억하셔서 사모님과 그 아들들에게 풍성한 복을 부어주시기를 기도하고 있다.

## 돈을 보내주어라

베이징에 제일감리교회라는 조그만 교회가 있다. 김건상 목사님은

《하나님의 대사》1권에 나오는 '미스 김'의 아버님이시다. 미스 김이 대사 비서실에서 근무하기 시작하면서부터 나는 가끔 제일교회에 가서 예배를 드렸다. 12월 말 마지막 예배에 가기도 하고, 신년 첫 예배를 드리기도 했다. 교인들은 많지 않았다. 그래도 목사님의 말씀이 좋아서 나는 갈 때마다 큰 은혜를 받았다. 예배가 끝나면 교인들과 국수나 국밥을 먹으면서 그들의 애로 사항을 듣고 위로하고 돌아오곤 했다. 목사님과는 따로 이야기를 나누면서 힘든 사역을 하시는 것에 대해 격려해드렸다.

그런데 하나님께서는 제일교회를 특별히 사랑하시는지 수시로 나에게 헌금을 하라고 하셨다. 기도를 하다가 하나님께서 도우라고 하시면 내가 직접 가기도 하고, 다른 사람 편에 헌금을 보내기도 하고, 어떤 때는 미스 김을 불러 전달하기도 했다.

한 번은 서울에서 친한 지인이 베이징을 방문했다. 그는 크리스천이었는데 나를 만나더니 말했다.

"이번에 제가 베이징에 와 있는 중에 생각지도 않게 돈이 생겼습니다. 그런데 가만히 생각해보니까 이 돈은 제 돈이 아닌 것 같습니다. 아무래도 다른 사람이 써야 할 것 같습니다. 이 돈을 놓고 갈 테니 대사님께서 어려운 교회를 위해서 써주십시오. 어디에 사용하시든 개의치 않겠습니다."

나는 그 돈을 놓고 하나님께 기도했다.

'하나님, 이 돈을 어디에 사용할까요? 어려운 교회에 주는 것이 좋을 것 같은데, 어느 교회에 헌금할까요?'

베이징에 있는 10여 개의 한인 교회 이름을 놓고 기도했는데 제일 교회에 해야 된다는 감동이 있었다. 그 주일에 나는 이미 다른 교회에 가서 예배를 드리기로 되어 있었다. 그래서 약속되었던 교회에 가서 예배를 드리고 나서 서둘러 비서관과 함께 제일교회로 갔다.

제일교회에서도 주일예배가 끝나 교인들이 점심 식사를 하는 중이었다. 교회에 들어가기가 쑥스러워서 나는 밖에서 기다리고, 비서관이 들어가서 목사님께 헌금을 드리고 나오도록 했다.

내가 통일부 장관직에서 퇴임한 후, 김 목사님이 한국에 들어오셨다고 해서 오랜만에 반가운 해후를 했다. 대화 중에 목사님이 말했다.

"장로님, 주중대사로 계실 때 저희 교회에 헌금을 자주 하셨지요?"

"네."

"왜 그렇게 헌금을 하셨는지 이유를 아십니까?"

"모르겠는데요."

"사실 제가 교회를 개척하면서 하나님께 두 가지를 약속했습니다. 하나는 개척한 교회에 교인이 우리 가족들 외에 한 사람도 없으면 문을 닫겠으며, 다른 하나는 교회 임대료가 떨어지면 하나님 뜻으로 알고 교회 문을 닫겠다는 것이지요. 그런데 놀라운 것은 임대료가 떨어져 교회 문을 닫으려 할 때마다 대사님께서 돈을 보내주셔서 교회 문을 닫지 않게 해주셨습니다. 그래서 저는 그 돈이 하나님께서 보내주신 돈이라고 믿습니다."

목사님은 이 말을 하면서 눈물을 지으셨고, 나도 나오는 눈물을 억지로 참았다.

하나님은 정말 놀라우신 분이다. 교회의 어려운 재정 상황을 아시고 그 종의 신실함을 사랑하셔서, 교회를 위해 기도하는 나를 통해 돈을 보내도록 하신 것이다. 이런 일을 보고 누가 하나님께서 살아 계시지 않다고 말할 수 있겠는가! 그 후에 베이징으로 돌아가신 목사님이 편지를 보내왔다.

### 베이징 제일교회에서 온 편지

2006년 마지막 주일이었다. 다음 주면 교회 문을 닫아야만 하는 상황이 마침내 온 것이다. 그동안 어려움이 없었던 것은 아니지만 이번에는 상황이 심각했다. 기적적으로 버텨오던 교회가 2년 반밖에 안 되었는데 임대료가 부족한 것이다. 이전에도 위기는 있었지만 임대료 기한이 턱에 받치기 전까지는 채워졌는데 그때는 마지막까지 부족한 부분이 채워지지 않았다.

'다음 주면 교회 문을 닫아야 하는가?'

많은 생각이 떠올라 견디기가 힘들었다.

주일예배를 마친 후 고개를 떨구고 있는데 딸아이가 대사님 비서관이 교회에 온다고 했다. 그가 와서 대사님이 보내신 것이라며 흰 봉투를 내놓고 갔다. 봉투 속에는 정확하게 부족한 교회의 임대료가 들어 있었다.

이스라엘 백성이 요단강을 건널 때 발을 담그기 전까지도 물이 갈라지지 않았던 것을 기억한다. 임대료가 부족하다고 해서 중간에서 포기했다면 지금까지 우리 교회는 유지되지 못했을 것이다. 마지막 순간에 채워지던 체험들은 오늘 이 시대에도 똑같이 적용되고 있었다. 거기에 김하중 장로님의 기도는 이러한 기적들을 창출해내는 원동력이었다.

## 다시 일으키시는 하나님

베이징 한인교회연합회는 베이징에서 활동하시는 목사님들의 친목 모임이다. 현재 연합회 간사로 계신 분이 순이교회 송정용 담임목사님이다. 순이교회는 다른 교회들과 달리 베이징 외곽인 순이(順義)라는 지역에 위치하고 있다.

2006년 8월 초에 송 목사님은 대사 비서실을 통해 나에게 8월 13일에 교회에 방문해주기를 요청했다. 요청을 받고 송 목사님을 위해 기도했다. 기도하는데 너무나 큰 고통이 느껴졌다. 교회와 목사님이 큰 어려움에 처한 것이 확실했다. 그래서 나는 13일까지 기다릴 것이 아니라 당장 돌아오는 주일에 가기로 하고, 6일 아침에 하나님께서 송 목사님에게 주시는 말씀을 가지고 유주열 총영사와 강형식 비서관(현재 주선양총영사관 영사)과 함께 순이교회로 갔다.

교회에 도착하여 조용히 교인들 틈에 앉아 예배를 드렸는데, 예배가 끝나자 송 목사님이 말했다.

"여러분, 오늘 놀랍게도 김하중 대사님께서 이 자리에 와 계십니다. 사실 제가 그동안 사역하기가 너무 어려워 하나님께 대사님을 저희 교회에 보내달라고 기도했습니다. 그렇지 않으면 제가 더 이상 사역을 할 수가 없으니, 저를 도와달라고 기도했는데 정말로 대사님이 오셨습니다. 대사님, 괜찮으시면 나오셔서 교인들을 위해 격려 말씀을 해주십시오."

나는 단상으로 가서 교인들에게 간단한 인사말을 했다. 그리고 더 이상 말이 필요 없을 것 같아서, 준비해 간 기도문을 읽었다.

아버지, 저를 도와주십시오. 대사님을 저희 교회에 보내주십시오.
제가 지금 너무 어려우니 저를 세워주십시오.
그렇지 않으면 제가 더 이상 사역을 할 수가 없습니다.
저를 도와주십시오.


사랑하는 아들아, 너는 내가 사랑하는 종이라.
네가 이곳에 와서 나를 위해 참으로 많은 고통을 겪고 있으며,
많은 상처를 받고 있으니 내가 기특하도다.
네가 그런 중에도 나에 대한 믿음과 사랑을 놓지 않으니
내가 기쁘도다. 너는 안심하라.
이제 내가 너에게 확실히 도울 자를 붙일 것이니
그가 너의 어려움을 해결해줄 것이라.
너는 기도하라. 너는 다른 자들과 합심하여 기도하라.
그 자리에 내가 있을 것이요.
너희들의 눈물의 간구를 들을 것이라.
네가 그동안 참으로 고생이 많았도다.

네가 악한 자들로 인하여 어려움이 많았지만,

내가 너를 지키리니 너는 안심하라.

너는 오직 기도하라.

그러면 내가 너와 교회에 큰 축복을 부어주리라.

내가 너를 사랑하노라.


나는 다 읽고 나서 기도문을 옆에 계신 목사님에게 드렸다. 목사님
은 하나님의 놀라우신 위로에 감동해서 계속 눈물을 흘리고 있었다.
나를 수행한 총영사나 비서관은 물론이고 교인들도 모두 깊은 감동을
받은 것 같았다.

예배가 끝나고 우리는 목사님과 근처 식당에 가서 점심을 먹으면서
교회가 겪고 있는 문제의 대처 방안을 논의했다. 총영사는 현장에 남
아서 현지 중국 공안에 협조를 요청했다.

다음 날인 8월 7일에 목사님이 이메일을 보내왔다.


장로님은 하나님의 일을 위해 보내심을 받은 천국의 대사이십니다.
장로님과의 만남은 하나님의 사랑과 축복임을 믿으며 감사를 드립니
다. 장로님을 통하여 하나님의 위대하신 뜻이 이 땅 위에 창대하게
성취되기를 쉬지 않고 기도하겠습니다.


2007년이 되었다. 6월 초에 순이교회를 위해 기도하는데 다시 가봐
야 한다는 감동이 왔다. 나는 또 하나님께서 주시는 말씀을 가지고 영

사부에서 교민을 담당하는 전태동 참사관(현재 주시안총영사), 경찰주재관, 비서관 등과 함께 순이교회로 갔다.

설교가 끝난 다음 송 목사님은 내게 교인들을 위한 격려의 말을 해 달라고 요청했다. 나는 간단한 인사말을 하고는 이전과 마찬가지로 하나님께서 목사님을 위로하시는 말씀을 읽었다. 옆에서 눈물을 글썽이며 듣고 있던 목사님은 내가 읽기를 마치자 말했다.

"조금 전 대사님께서 기도문을 읽으실 때, 저는 그것을 하나님께서 제게 직접 말씀하시는 것으로 들었습니다. 그 기도 내용은 제 속마음을 그대로 들여다본 것입니다. 마치 대사님께서 저와 함께 사시면서 제 일거수일투족을 보고 말씀하시는 것 같습니다. 저는 오늘 대사님의 이 말씀을 통해서 하나님께서 살아 계심을 다시 한 번 분명히 깨닫게 됐습니다. 대사님, 정말 감사합니다."

이날 나와 함께 순이교회에 간 직원들은 '이런 일이 어떻게 있을 수 있는가' 하며 놀랐을 뿐 아니라 깊은 감동을 받았다고 말했다. 그들은 하나님께서 살아 계심을 자신들의 눈으로 직접 본 것이다.

하나님은 정말로 놀라우신 분이다. 자기의 종이 눈물로 한 기도를 들으시고, 나를 보내시면서 말씀을 주시고 이를 통해 낙담하여 사역을 포기하려던 종을 다시 일으키셨다.


베이징 순이교회에서 온 편지

하나님의 강권하심으로 한국에서의 사역을 정리하고 2004년 2월 5일, 베이징에 발을 딛고 지금까지 살아온 삶은 절대적인 하나님의 인도하심이었다. 2004년 3월에 가족끼리 모여 예배를 드림으로 교회를 시작했다. 2006년 3월에 예배를 드리다가 중국 공안의 출동으로 모임이 중단되었을 때는 너무 놀라고 두려웠다. 그 일로 그곳에서 모이는 것이 어렵게 되어 어찌해야 할지 몰라 성도들과 합심하여 기도하던 중 하나님께서 예비해주신 다른 장소에서 다시 예배를 드릴 수 있게 되었다.

먼저와는 비교할 수 없었지만, 어디에서든 하나님을 예배할 수 있음에 감사드리며 어려움 속에서도 예배를 계속했다. 그러나 그해 7월에 또 한차례 큰 단속이 있었고, 모임을 더 이상 할 수 없다는 통보를 받았다. 얼마 가지 않아 더 이상 사역을 할 수 없는 지경에까지 이르게 되었다. 인간의 힘으로는 어찌할 수 없는 최대의 위기를 맞아 금식하며 눈물로 기도하고 있을 때 동료 목사가 김하중 대사님께 연락을 해보라고 했다. 그러나 대사님을 만난 적도 없고, 친분이 있는 것도 아닌데 어떻게 해야 할까 기도하는 중에 하나님께서 주저하지 말고 연락하라는 강한 감동을 주셨다.

그래서 용기를 내어 2006년 8월 2일에 기도하고 대사관으로 전화를 해서, 비서관에게 대사님의 방문을 요청하는 말씀을 꼭 전해달라고 부탁했다. 전화를 끊고 대사님의 방문을 위해 간절하게 기도하며 주일을 맞았다. 예배 장소에 나가 기도로 준비하고 있는데 비서관으로부터 주일 예배에 대사님께서 참석하실 수 있다는 연락이 왔다. 기도는 했지만 이렇게 빨리 오시다니, 하나님께서 대사님을 급히 재촉하셔서 오시는 것이 틀림없었다.

대사님은 예배 후에 하나님께서 주시는 말씀을 전해주셨다. 나의 심정과 처한 상황, 하나님께 애절하게 부르짖는 기도의 내용을 그대로 말씀해주시는데, 옆에서 듣고 받아 적은 것처럼 정확해서 온몸이 전율했다. 모든 성도들도 대사님을 통해 역사하시는 성령님의 일하심에 심히 놀라워했다.

대사님께서 다녀가심으로 모든 상황이 말끔히 정리되어 나는 본연의 사역에 충실할 수 있었다. 우리의 작은 신음에도 응답하시는 하나님께 큰 영광을 돌리며 여러 환란으로 인하여 위축되었던 성도들도 다 함께 힘을 얻고 크게 기뻐했다.

하나님께서 안정된 장소를 주심에 감사하며 모임을 이어가는 중에도 사단의 방해는 계속되었다. 지속적으로 예배에 어려움이 있어 지치고 낙망하여 사역을 포기하고 돌아가고 싶은 마음뿐이었다. 어찌할 바를 몰라 하나님의 도우심을 구하고 있을 때마다 하나님께서는 대사님을 통해 말씀해주셨다.

그리고 2007년 6월 3일 주일에 대사님께서는 우리 교회를 방문하여 우리 공동체 모두에게 큰 힘과 용기를 주셨다. 그날 대사님이 우리에게 전해주신 하나님의 말씀은 아래와 같다.


제가 참으로 힘이 듭니다. 너무나 힘이 듭니다.
과연 언제까지 이렇게 해야 할지 모르겠습니다.
아버지 저를 도와주시옵소서.

사랑하는 자여,

지금 네가 나를 위한 사역을 하느라 참으로 힘이 드는도다.

네가 악한 자들로부터 끊임없이 공격을 받고 핍박을 받으니

이제는 더 이상 버틸 힘이 없도다.

네가 정말 몇 번이나 사역을 포기할 마음을 가졌으나

차마 이곳을 떠날 수가 없어 주저함을 내가 알고 있노라.

그러나 너는 참을지어다.

지금 네가 당하는 이 고통은 다 나를 위한 것이요,

또 나의 양들을 위한 것이니, 네가 피할 수 있는 고통이 아니니라.

이제 또 너희들에게 어려움이 닥칠 것이라.

그러나 너희들은 굴하지 말지어다.

네가 고통을 당할수록 내가 몇 배로 너에게 돌려줄 것이니,

너희들은 인내할지어다.

이제 그들도 너희들을 핍박하기에 지쳐 너희들을 보고 있나니,

너희들은 계속 나를 찬양하고 경배할지어다.

그리하면 그들이 결국 포기할 것이요,

너희들의 문제가 해결될 것이라.

너희들은 인내하라.

그리하면 너희들에게 더 큰 복이 임할 것이라.


하나님께서 대사님을 통하여 역사하시지 않았다면 지금의 순이교회
는 존재하지 않았을 것이다. 나는 대사님을 통한 하나님의 간섭을 계

속 경험하면서, 어떤 일이 있어도 이 중국 땅에서 하나님을 위한 사역을 계속할 것을 다짐했다.

송 목사님은 지금은 이름이 바뀐 베이징 주바라기교회에서 사역을 계속하고 있다. 나는 한국으로 돌아온 후에도 송 목사님과 주바라기교회를 축복해주시기를 하나님께 간구하고 있다.


## 작지만 성령충만한 교회

베이징 창대교회 구연수 목사님은 여자 목사님으로 모든 일에 항상 적극적이고 거침이 없었다. 풍기는 외모부터가 다부져서 중국에서의 어려운 사역을 능히 감당할 수 있을 것이라는 믿음을 주는 분이었다.

2005년 3월에 구 목사님의 요청에 따라 창대교회를 방문했다. 교회는 비록 작았지만 성령충만했으며 뜨거운 힘과 열정이 넘쳤다. 나는 어려운 환경에서도 일말의 주저함도 없이 담대하게 사역하시는 목사님의 모습을 보고 마음이 흐뭇하여 목사님과 교회를 위해 계속 기도했다. 그런데 9월 들어 목사님을 위한 기도가 점점 힘들어졌다. 무슨 일이 생긴 것 같았다.

목사님을 위한 강력한 기도를 계속하던 어느 날, 메일을 보내 하나님께서 지켜주시니 담대하게 사역을 하시라고 권면했다. 며칠 후 목사님은 하나님께서 자기를 위로해주신 것에 깊은 감사를 표하는 메일을 보내왔다. 그 이듬해인 2006년 5월 말에 구 목사님을 위해 기도하는데 기도가 너무 힘들어지는 것을 느꼈다. 목사님에게 어려운 일이 생긴 것이 분명했다. 나는 하나님께서 주시는 말씀을 목사님에게 보냈다. 목사님은 내 이메일을 받자마자 바로 감사의 메일을 보내왔다.

그 후에도 나는 여러 번 창대교회를 방문했고, 하나님께서 말씀하실 때마다 이메일로 구 목사님을 위로했다. 하나님께서는 비록 교회가 크지도 않고 교인도 많지는 않았지만, 구 목사님과 창대교회를 사랑하셔서 나를 통하여 목사님을 위로하고 격려하셨다.

구 목사님은 2008년 말에 모든 것을 정리하고 원래 소속이었던 순복음노원교회로 돌아와서 사역하던 중 최근 경기도 남양주에서 남편(최현진 목사) 분과 감사순복음교회를 개척했다. 나는 목사님과 교회의 부흥을 위해 기도하고 있다.


## 베이징 창대교회에서 온 편지

내가 김하중 대사님을 처음 만난 것은 2004년 12월 베이징 한인교회 연합 모임에서였다. 대사님께서 일곱 교회 목회자들을 초청하셔서 한 해 동안 수고를 격려하시면서 만찬과 선물로 위로해주셨다. 우리들은 이 만남을 허락하신 하나님께 감사를 드렸다.

식사 중에 대사님의 연말 사역 보고와 같은 간증은 우리 목회자들에게 큰 도전을 주었다. 그때 하나님께 영광 돌리는 대사님의 겸손한 모습이 참 인상적이었다. 대사님의 하루는 기도로 시작해서 하나님의 뜻대로 움직이는 절대적 순종의 삶임을 듣게 되었다.

대사님의 그 순종이 하나님의 기적들을 세상에 드러나게 했다는 것을 깨달았으며 나뿐만 아니라 다른 목회자들도 입을 모아 감탄하며 도전을 받았다. 목회자인 우리보다 더 하나님과 깊은 교제를 하심에 부럽기조차 했다. 그때 '나도 기도를 좀 한다'는 교만한 생각이 깨졌다. 아버지께 어린아이처럼 매사에 기도로 아뢰는 대사님의 모습은 다윗을 떠오르게 했다.

7년 가까이 중국에 있다보니 왠지 모를 답답함과 소망을 잃어버린 심령이었는데, 그날 대사님을 통해 하나님의 위로와 치유를 체험했다. 식사가 끝날 무렵 나도 모르게 처음 뵌 대사님께 "우리 교회에 오셔서 성도들에게 은혜를 나눠주셨으면 합니다"라고 말씀드렸을 때, 대사님께서는 "언제든지 불러만 주시면 기꺼이 가겠습니다"라고 답해 주셨다. 그 대답에 내 마음은 말로 형용할 수 없이 기뻤고, 하나님의 즉각 응답임을 확신했다.

2005년 1월 말경, 대사님께서 우리 교회에 오시겠다는 전화가 왔고 일시는 3월 둘째 주일로 결정되었다. 이 소식을 성도들에게 알렸을 때 모두들 기뻐하며 집회를 위해 기도로 준비했다. 대사님께서는 가시는 곳마다 교회의 어려움과 영혼 구원에 관심을 가지시는 사랑의 사람이었다. 그날 집회에 참석한 모든 성도들과 청년들이 큰 은혜를 받고 교회를 자랑스러워했다. 대사님과 함께 참석한 박은하 참사관은 그때부터 우리 교회를 섬기며 신앙생활을 하다가 유엔대표부 공사참사관으로 영전해 갔다.

대사님은 중국의 지도자들뿐 아니라 대사관 직원들과 중국 내에 있는 목회자들을 위한 중보의 사명을 감당하는 분이셨다. 특히 목회자들에게는 사막의 오아시스와 같은 분으로, 큰 위로와 중국을 향한 비전을 심어주셨다. 우리는 서로를 위해 기도하는 동역자가 되었다.

2005년 9월 11일에 내가 아무런 연락도 하지 않았는데 대사님께서 우리 교회를 위해 기도하시면서 받은 하나님의 말씀을 메일로 보내주셨다. 우리는 그 메일을 통하여 교회가 처한 어려운 환경을 기도로 승리할 수 있었다. 바쁜 업무 중에도 쉬지 않고 중보하시는 대사님을 하나님께서 얼마나 기뻐하실지 생각만 해도 부러웠다. 또한 이러한 대사님과의 만남은 중국 땅에서만 누릴 수 있는 하나님의 위로라는 것을 깨달았다.

2008년 3월에 대사님께서 통일부 장관으로 내정되어 한국으로 돌아가셨을 때, 우리 목회자들은 한편으로 기쁘기도 했지만 더 이상 우리를 위로해줄 버팀목이 없다는 생각에 모두들 아쉬워했다. 물론 우리는 대사님이 하나님의 종이시기에 한국의 새로운 기도 운동에 불을 붙일 도구로 보내셨음을 알았다.

나는 2008년 12월 31일에 중국에서의 사역을 정리하고 돌아와 1년 5개월 동안 순복음노원교회에서 외국인 선교회 담당 목사로 사역했다. 2010년 《하나님의 대사》가 출간되자 순복음노원교회에서는 장로님을 간증자로 초청하고 싶어 했다. 내가 장로님에게 연락을 드리자 장로님은 기도 후에 기꺼이 집회에 참석하시겠다고 연락을 주셨다. 장로님은 6월 11일 금요철야예배에서 성도들에게 하나님을 향한 믿음의 기도를 하라는 말씀을 전하셨고, 모든 성도들이 큰 은혜를 받았다.

그런데 그때 나는 내부적으로 5월 31일 자로 교회 사역을 그만두게 되어 있었다. 물론 그러한 사실을 장로님께 말씀드릴 시간이 없었다. 그러나 집회에 참석하기 위해 교회에 도착하신 장로님은 놀랍게도 이미 기도를 통해 내가 교회를 떠날 것을 알고 계셨다. 그리고 나의 새로운 사역에 대한 하나님의 말씀을 전해주셨다. 역시 기도의 사람은 하나님의 비밀한 것들을 알고 있음을 새삼 느꼈다. 나는 기도의 본이 되신 장로님을 닮기를 원한다.

Ambassador Of God

# 아내의 이야기

• 특별히 불신 가족의 구원을 위해 기도하시는 분들을 위해
김하중 장로의 부인 배영민 권사와 그 가족의 이야기를 실었습니다.

기도는 결코 땅에 떨어지지 않습니다.
이루어질 그날을 바라보며 소망을 가지고 기도하십시오.

•

•

•

《하나님의 대사》 1권이 나온 후,
사람들을 만나거나 남편의 간증집회에 따라다니다보면 많은 분들이
제게 묻습니다.

"믿지 않는 가정에서 자라셨다는데 어떻게 그런 믿음을 가지게 되
셨나요?"

"장로님처럼 권사님도 기도의 능력이 있으신지요?"

"장로님이 저렇게 기도만 하고 사시는데 권사님은 정말로 행복하
신지 알고 싶습니다."

이런 분들께 대답도 드리고, 사랑하는 가족의 구원을 위해 기도하며
애쓰는 분들이나 기름부음 받기를 사모하시는 분들께 조금이나마 도
움을 드리고 싶어 아직 연약한 믿음이지만 제 이야기를 하려고 합니다.

## 뿌리 깊은 불교 집안에서 자라다

제 고향은 부산입니다. 부산에 가보면 지금도 길거리와 지하철에서 회색 승복(僧服)을 입고 다니는 사람들을 많이 볼 수 있습니다. 제가 어릴 때는 집안 분위기 탓도 있었겠지만 주위에서 예수 믿는 사람을 본 적이 없었습니다.

어머니는 다섯 살 때 할머니를 따라 절에 다니기 시작하여, 칠십 평생을 열심을 다해 부처를 섬긴 보살이셨습니다. 제가 어릴 때부터 어머니는 새벽마다 거실에 걸어둔 부처 그림 앞에 향을 피우고 염불을 하시고, 버선코가 닳을 정도로 삼천 배를 하셨으며, 연말에는 아버지와 함께 절에서 신년을 보내셨습니다. 집안 곳곳에는 부처와 보살 그림, 불경이 쓰인 족자와 액자들이 있었고, 향냄새가 항상 배어 있었습니다. 저는 그 냄새가 너무 싫었고, 어머니를 따라 한 번씩 절에 갈 때면 절 입구에 있는 조각상들이 너무 무서워 거부감이 들었습니다.

일제 치하에서 관사촌의 회관으로 쓰던 친정집은 감나무와 무화과나무, 오래된 향나무와 각종 정원수를 잘 손질하여 마당을 아름답게 꾸민 집이었습니다. 뒤뜰에는 어머니가 틈날 때마다 엿과 떡을 만드시던 가마솥과 돌절구, 그 분이 손맛을 자랑하며 담그시던 간장과 된장 항아리들이 놓인 장독대가 있었습니다. 제가 세 살 때 이사한 후 가족이 50년을 살아온 집이라, 기억 속에 깊이 박힌 곳입니다. 그런데도 2002년에 그 집을 팔 때 집과 함께 제 친정의 모든 역사가 새롭게 된다고 생각하니 정말 기뻤습니다.

친정집 바로 옆에 교회가 있었는데, 부모님은 저와 언니를 교회 부설 유치원에 보냈습니다. 한국전쟁 후에 별다른 선택의 여지가 없었을 것입니다. 지금도 그때 그곳에서 연극을 하던 제 모습과 산타클로스로 분장한 원장님이 우리를 놀라게 했던 일들이 떠오르곤 합니다. 하지만 이후로는 교회와 아무 인연 없이 지냈습니다. 대학을 졸업할 때까지 복음을 한 번도 들어본 적이 없었습니다.

대학 졸업반 때 남편을 만났습니다. 1년여를 사귀고 혼담이 나왔는데 두 집안 모두 반대가 없었습니다. 1권에서 언급했듯이 시어머님은 생각이 있어서 허락을 하셨고, 친정에서는 딸은 출가외인이니 종교가 다르면 어떠냐며 반대하시지 않았습니다.

저는 불교 신자는 아니었지만 결혼 후 시어머님이 저를 교회에 데리고 다니셨는데 정말 싫었습니다. 강제로 끌려가는 것도 싫었고, 목사님의 설교도 귀에 전혀 들어오지 않았습니다. 주위를 살펴보면 맨 할머니들뿐이었습니다.

'내가 왜 여기 이렇게 와서 앉아 있나.'

이런 생각을 하며 예배가 끝나기만 기다렸습니다.

가끔 집안 행사 때 시어머님이 눈물을 흘리며 기도하시면, 시누님 두 분도 같이 우시는 것을 보며 저는 속으로 생각했습니다.

'왜 기도 때마다 눈물을 흘릴까? 이 집은 고생을 바가지로 했나 보다.'

그러다 첫딸을 낳게 되고 이런저런 핑계로 교회를 다니지 않다가 남편이 미국으로 발령을 받아 따라가게 되었습니다.

## 고달픈 미국 생활과 친구의 전도

미국에서는 시어머님이 다니시던 교회 목사님이 소개한 교회에 한 번 갔다가, 목사님이 지나친 관심을 보이시는 게 싫어서 다시는 나가지 않았습니다. 미국 생활은 너무나 고달팠습니다. 1970년대 말 한국에서의 생활도 어려웠지만 세계 제일의 도시인 뉴욕에 그것도 외교관으로 갔는데 생활비는 늘 모자랐고, 50년이 넘은 아파트는 부엌이 컴컴한 것이 마치 동굴 속에 들어온 기분이었습니다.

빠듯한 살림 때문에 머리는 손수 자르고 지내서 미국 미장원이 어떻게 생겼는지는 지금도 궁금합니다. 게다가 남편이 뉴욕으로 출장 오는 손님들을 밖에서 대접하기가 여의치 않아 집으로 모셔 올 때는 정말 힘들었습니다.

한국에 돌아와서도 힘들기는 마찬가지였습니다. 미국에서 둘째를 낳았고, 잇따라 막내를 낳아서 키웠습니다. 큰아이를 유치원에 보내야 하는데 당시 저희 형편으로는 집 앞에 있는 정규 유치원을 보낼 수가 없어서, 두 정거장이나 떨어져 있는 선교 유치원에 보냈습니다. 지금은 '우리 아이들의 믿음은 그곳에서 시작되었구나' 하고 감사히 여기지만 그때는 너무 힘들었습니다. 막내를 포대기에 싸서 업고, 둘째를 걸리고, 큰애를 앞세운 내 모습을 누가 볼까 무서웠고, '이러려고 내가 대학까지 나왔나' 하는 회의가 들었습니다.

그러던 어느 날, 동창 모임에서 친하게 지냈던 한 친구를 만났습니다. 의대를 나와서 내과 레지던트로 일하던 친구였는데, 암에 걸렸다면서 핼쑥한 얼굴로 앉아 있었습니다. 저는 반가움과 놀라움이 교차

하는 가운데 친구의 손을 잡고 울었습니다. 그런 나를 보며 친구가 담담히 말했습니다.

"괜찮아, 난 예수를 믿거든."

그러면서 "너도 교회 나가서 성경 공부 한번 해볼래?" 하며 저희 집 앞에 있는 교회를 소개해주었습니다. 저는 친구의 반응에 놀라기도 하고, 호기심도 나서 그 교회의 성경 공부 모임에 가보게 되었습니다.

그곳에서는 칠판에 의자 그림을 두 개 그려놓고 무언가 설명을 하고 있었습니다. 한 의자에는 내가 주인이라고 앉아 있고, 다른 의자에는 예수님을 주인으로 모시고 있는데, 아무리 큰 죄를 지었다 하더라도 회개하고 예수만 믿으면 다 용서받는다고 하는 것이었습니다.

그런데 저는 무슨 말인지 알아듣지도 못하겠고, 그때까지도 내가 죄인이라는 생각은 한 번도 해본 적이 없어서 전혀 공감할 수 없었습니다. 또 죄인이라도 예수만 믿으면 용서를 받는다는 말은 더더욱 받아들일 수 없었습니다.

드디어 예수님을 만나다

그러다 남편이 인도로 발령을 받아 근무지를 옮기게 되었습니다. 주인도대사의 부인이 크리스천이라 구역 모임에 따라 나간 적이 있습니다. 그날은 어버이 주일이었습니다.

"나의 사랑하는 책 비록 해어졌으나 어머니의 무릎 위에 앉아서…."

찬송가를 부르는데 나도 모르게 눈물이 주르륵 흘렀습니다. 저는 친정 부모님이나 시어머님이 생각나서 눈물이 나오는 줄 알았습니다.

얼마의 시간이 흐른 어느 날이었습니다. 대사님의 딸이 미국에서 교통사고를 당해 갑자기 세상을 떠나는 일이 생겼습니다. 부모님의 좋은 면만 닮아 예쁘고, 조신하고, 머리도 좋은 기막힌 재원(才媛)이었습니다. 바로 몇 주 전에 약혼식에 참석해서 축하해주었는데, 그런 일을 당하고 보니 인생에 대해 다시 생각해보게 되었습니다.

'한 치 앞을 모르는 것이 인생이구나.'

그제야 내 인생도, 아이들의 인생도 내 힘으로는 어떻게 할 수 없다는 것을 깨달았습니다.

1985년에 한국으로 돌아와서도 그 해결책이 예수님이라는 것은 여전히 모른 채 뭔가 불안하고, 우울하고, 답답한 하루하루를 보냈습니다.

그러다 1986년 10월에 남편이 중국 출장을 가게 되었습니다. 중국 문학과를 나오고, 중국에 대한 꿈을 품고 있던 남편은 수교 국가도 아닌 중국에 출장을 간다는 사실에 무척 흥분한 듯 보였습니다.

남편이 출장을 간 사이 이태식 전(前) 주미대사 부인인 이석남 씨가 저를 찾아왔습니다. 이 대사는 남편의 외무부 동기로 누구보다 절친해서 아내들끼리도 친밀하게 지내고 있었습니다. 그녀는 사랑의교회 대각성전도집회에 저를 초청하러 온 것이었습니다. 사랑의교회는 제가 살던 서초동 우성 아파트에서 엎어지면 코 닿을 거리였지만 제가 가기 싫다고 할까 봐 차까지 빌려서 데리러 온 정성이 갸륵해서 한번 가준다는 심산으로 따라나섰습니다.

그날 설교 본문은 마태복음 11장 28절이었습니다.

"수고하고 무거운 짐 진 자들아 다 내게로 오라 내가 너희를 쉬게 하리라."

그 말씀을 듣는 순간 가슴이 뭉클해지면서 제 눈에서 눈물이 나오기 시작했습니다.

'내가 왜 이러나.'

저는 누가 볼세라 얼른 눈물을 훔쳤습니다. 그런데 눈물은 멈추지 않고 나중에는 통곡으로 터져 나왔습니다. 그리고 그동안 살아온 날들이 주마등같이 스쳐 지나갔습니다. 생각해보니 너무나 무거운 짐에 눌려 살아온 인생이었습니다. 남부럽지 않은 가정에서 태어나서 결혼도 잘했다 싶었는데 남편과는 사랑이 없는 것도 아니면서 서로를 고쳐보겠다고 자주 다투었고, 경제적으로도 힘들고, 이십 대 초반에 결혼해서 줄줄이 낳은 세 아이들도 제게는 너무 버거운 짐이었습니다.

(십여 년이 지난 1998년에 온누리교회 예수제자학교에서 훈련 받을 때 자기를 드러내는 시간이 있었습니다. 자기 인생에서 제일 어두웠던 시간을 돌아보고 그것을 토해내라고 했습니다. 그때 제 인생에서 제일 어두웠던 시기가 결혼하고 나서 예수 믿기 직전이었음을 알았습니다. 그러나 그 시간은 가장 행복한 시간으로 가는 길이기도 했습니다. 그런 날들이 없었다면 하나님께서 내미신 손도 붙잡지 않고, 여전히 제가 잘난 줄 알고 어둠 속에서 살고 있었을 것입니다.)

한참을 울고 나니, 나중에는 들려오는 말씀과 찬송이 좋아서 또 울었습니다. 집회가 끝날 즈음 목사님이 예수님을 영접할 사람은 일어나라고 하는데 저도 모르게 벌떡 자리에서 일어났습니다. 그리고 다음 날도, 그 다음 날도 집회에 갔습니다. 얼마나 좋은지, 눈물은 왜 그리 많이 나는지 울고 또 울었습니다.

그 주일로 아이들과 저는 교회에 등록을 하고, 1987년에 지금은 고인이 되신 옥한흠 목사님께 세례를 받고, 일본에 가기 전까지 2년 동안 사랑의교회에 다녔습니다. 그때 중학생이던 딸아이도 수련회에서 예수님을 만났고, 아들들도 열심히 교회에 나가게 되었습니다.

2010년 10월에 사랑의교회 특별새벽기도 때에 남편이 간증을 하게 되어 22년 만에 교회를 방문했을 때, 그때 일이 떠올라 한참 동안 울었습니다. 저희 가족을 구원해주신 것도 감사한데, 저를 믿음으로 이끌어준 교회에서 남편이 간증까지 하게 되었으니 얼마나 감사하고 또 감사했는지 모릅니다.

제가 예수 믿게 된 것을 누구보다 좋아하신 분은 시어머님과 믿음이 좋던 큰 시누님이셨습니다. 시어머니는 제가 결혼했을 때 이미 일흔을 바라보셨는데 '우리는 돈 없는 공무원 막내니까' 하는 생각에 용돈조차 한번 변변히 드리지 않았던 철없는 막내 며느리를 많이 사랑해주셨습니다. 그런 시어머니가 이 글을 쓰는 지금도 많이 그립습니다.


남편이 회심하다

저는 예수님을 믿고, 남편과의 관계를 다시 돌아보게 되었습니다. 그때까지는 '나와 성격이 다른 남자를 만나서 이렇게 고생하는구나'

라고 생각했는데, 곰곰이 되짚어보니 남편에게서 되로 받으면 제가 말로 갚아주고 있었습니다. 가끔 옛날의 내가 다시 살아나서 힘들 때도 있었지만, 남편을 위해 기도하며 다시 예수님께로 돌아오기를 기다렸습니다.

그러다 드디어 1994년에 남편이 다시 예수님을 믿게 되었습니다. 베이징에서도 많은 분들이 기도하며 도와주셨는데 그중에서도 이광자 권사님의 중보기도는 잊을 수가 없습니다. 남편은 늘 주일에 저와 아이들을 교회에 데려다주면서 말했습니다.

"나는 한번 예수를 믿으면, 직장도 다 내려놓고 선교사로 나가게 될까 봐 무서워. 그래서 지금은 교회에 안 나갈 거야."

남편은 자신이 말한 대로 정말 다시 믿기 시작하자 먼저 예수를 믿은 제가 무색할 정도로 열심이었습니다.

남편은 연애할 때 자주 기타를 치며 노래를 불러주었고 무척 재미있게 해주었기에 그같이 행복한 결혼생활을 꿈꾸었습니다. 그런데 결혼하고 나니 완전히 공무원 모드로 확 바뀌는 겁니다. 생각은 말할 것도 없고, 모든 생활의 중심이 온통 나라뿐이었습니다.

그래서 저는 남편이 공직에서 은퇴하기까지 36년 동안 남편을 나라에 바친 셈 치고 살았습니다. 아이 셋을 키우면서 남편은 무엇 하나 제대로 도와준 적이 없고, 놀이공원에도 과부처럼 남편 없이 아이들을 데리고 갔습니다.

그러면서도 남편은 아이들을 앉혀놓고는 "대한민국 국민들이 낸 세금으로 녹(祿)을 받는 공무원의 아이들은…" 하고 훈시를 했습니다.

혹시나 외국에서 살면서 아들들이 다른 마음을 먹을까 봐 군대는 반드시 가야 한다고 주지시켰습니다. 1990년대에 중고등학교를 다니던 아이들이 스키를 타고 싶어 하자 "대한민국 공무원의 아이들은 아직 스키 탈 때가 아니야"라고 하고, 나라에 조금만 무슨 일이 있으면 "대한민국 공무원 아이들이 그런 태도로 살면 되겠니?"라고 했습니다. 오죽하면 큰아들이 자기는 절대 공무원은 안 하겠다고 했을까요.

남편이 퇴직하고 나서 지금까지 2년 동안 저와 함께한 시간이 평생 함께 보낸 시간보다 더 많습니다. 그래서 지금 저는 정말 행복합니다. 남편과 함께 기도하고 나누며, 하나님의 일을 같이하니 얼마나 감사한지 모릅니다.


## 놀라운 믿음의 여정

2001년 문봉주 주뉴질랜드 대사(현재 오사카 온누리교회 목사)를 통해 박정미 집사(현재는 전도사)를 알게 되었습니다. 늘 전화로만 통화하던 분을 만나러 뉴질랜드로 갔습니다.

박 집사가 저와 함께 기도하다가 느닷없이 한 가지 질문을 했습니다.

"집사님, 어머니 배 속에서 죽을 뻔한 일이 있으시지요?"

그때 오랫동안 잊고 있었던 이야기가 떠올랐습니다.

제가 태중에 있을 때, 제 언니가 아장아장 걷다가 그만 어머니 배에 넘어졌는데 갑자기 태동이 끊어졌다는 겁니다. 그래서 아이가 죽은 줄 알았는데, 마침 부산에 와 계시던 한의사의 아들인 이모부 처방대로 어머니가 약을 지어 먹었더니 사흘 만에 태동이 이어졌답니다. 그래서 이모부는 늘 저를 보면 "영민이는 내가 살렸어"라고 하셨던 기억이 났습니다.

이 이야기를 듣고 박 집사가 말했습니다.

"그것 보세요. 집사님이 이 세상에 나오면 친정을 다 구원시킬 것을 사탄이 아는데 가만 내버려두었겠습니까?"

그렇게 박 집사와 며칠을 같이 기도하는 동안 저는 말할 수 없는 하나님의 임재를 맛보았습니다. 중보기도를 할 때도 그 사람의 심정이 되어서 기도하며, 방언을 하는데 별안간 생각지도 않은 통변이 튀어나오며, 음치인 제 입에서 얼마나 아름다운 고음의 찬양이 나왔는지 지금 생각해도 황홀합니다. 그런데 그때 한 번 경험을 하고 나서는 좀체 그런 일이 생기지 않았습니다.

2001년 말에 중국에 가서는 정말 기도로 살았습니다. 중국의 상황이 그랬고, 이미 한번 살아봤던 곳이라 딱히 구경할 곳도 없었고, 행여나 직원 부인들을 귀찮게 만들까 봐 주로 혼자 지냈습니다. 그러다 보니 서울에 있는 친구와 인터넷 전화를 하는 것과 기도밖에 할 일이 없었습니다. 어떤 때는 혼자서 성령집회를 하기도 했습니다. 방언으로 기도하고 찬양하고, 특히 혼기가 찬 딸의 결혼 문제 때문에 금식기도를 하기도 하고, 하루에 세 번씩 시간을 정해서 21일 기도(일명 다니엘 기도)를 하며 기도로 살다시피 했습니다.

하나님께서 제가 기도도 잘 안 하고 분주하게 다니니까 '이제 기도만 해라' 하고 중국에 보내셨던 것 같습니다. 그러다 조금씩 하나님의 음성을 듣게 되었는데 얼마나 신기한지요. 그런데 가까운 사람에게 하나님이 주신 말씀이라고 들려주었는데 하나도 안 맞는 겁니다. 너무 미안하고 부끄러워 그때부터 입을 닫아버렸습니다. 그랬더니 제 마음의 귀까지 닫혔는지 이후로는 통 들을 수가 없었습니다.

남편이 "나, 오늘도 하나님이 살아 계신 걸 체험했어. 오늘도 하나님을 만났어" 하고 말하면 그런가보다 했고, 2003년 봄 중국에서 발생했던 사스를 겪으면서 '정말 신기하네. 남편이 받는 것이 하나님의 말씀이 맞구나' 하고 생각했지만, 막상 딸의 결혼식을 앞두고는 '이 사람이 듣는 것이 정말 맞을까?' 하는 의구심도 품었습니다.

하나님이 살아 계신 걸 믿지 못한 것이 아니라 남편이 과연 잘 들었는지 의심스러웠던 것이지요. 결혼식을 준비하면서 청첩장도 부조도 없이 치르라고 하질 않나, 결혼식 이틀 전에 서울에 가겠다고 하질 않나, 그때는 정말 화가 났습니다. 아무리 기도를 한다고 하지만 함도 받아야 하는데 사돈댁에는 뭐라고 하나 난감하기만 했습니다. 그런데 모든 과정을 지나면서 '정말 맞구나, 잘못 들은 것이 아니구나' 하고 믿게 되었습니다. 이어 아들의 결혼식 때는 하나님의 말씀을 듣고 난 후에 순종하지 않으면 큰일이다 싶어 축의금과 관련해서는 제발 하나님께 여쭙지 말라고 부탁한 것입니다.

그러면서 '하나님, 저도 듣게 해주십시오' 하고 간구하게 되었습니다. 수많은 집회에 쫓아다니고, 남편으로부터 은사가 흘러들어 오도록 기도도 많이 받았지만 좌절감만 커질 뿐 제게는 그런 기름부음을 주시지 않았습니다. 물론 은사가 없어도 성령님은 제 안에 계시고, 제

기도를 들으시는 줄 알지만, 남편 같은 사람과 함께 사는 저에게도 같은 기름부음이 있을 것이라고 으레 생각하는 사람들의 시선이 더 견디기 힘들었습니다.

그런데 최근에야 하나님이 제게도 그 길을 여셨습니다. 얼마나 감사한지요. 잘 모르지만 제가 감히 말할 수 있다면, 우리가 받은 구원처럼 은사도 하나님의 주권이라는 것입니다. 모든 걸 내려놓고 하나님만 바라며 순종하고 살면 하나님의 때, 그분의 방법으로 우리를 만나주신다는 것을 깨달았습니다.


## 복음으로 변화되기 시작한 친정

제가 1995년에 한국에 돌아왔을 때 동창인 전선애 권사(사랑의교회)가 친정 식구들을 전도한 간증을 들을 기회가 있었습니다. 그 간증을 들으면서 생각했습니다.

'나도 언젠가 저런 간증을 할 날이 오면 좋겠다. 나에게 그런 날이 오려나?'

믿지 않는 친정을 생각하면 늘 마음이 무거웠습니다. 친정어머니는 너무나 단호하셨습니다.

"바위를 움직일 수는 있어도 나는 절대 안 된다. 전도할 생각도 하지 마라."

저 역시 전도하면서도 부모님은 절대 안 된다는 강한 확신을 가지고 있었습니다. 어머니는 젊을 때는 부산 근처의 큰 절에 다니시다 나중에는 자그마한 절의 회계를 20여 년 동안 담당하셨고, 아버지와 함께 절의 대소사를 열심을 다해 도우셨습니다. 몸이 약한 어머니는 자신의 건강을 부처가 지켜준다고 믿으셨고, 종교를 바꾸면 집안이 망한다는 생각을 갖고 계셨습니다.

게다가 저는 둘째 딸 콤플렉스를 갖고 있었습니다. 그래서 부모님께 복음을 전하고 거절당할 때마다 하나님을 원망했습니다.

'하나님, 어머니가 예뻐하는 큰딸이나 귀한 아들을 믿게 하셔서 전도하게 하시지, 왜 둘째 딸인 저를 먼저 믿게 하셔서 이렇게 고생시키나요?'

제게는 남동생이 하나 있는데, 몸이 약한 어머니가 의사의 만류를 무릅쓰고 낳은 아들이었습니다. 저보다 다섯 살 아래인 동생은 집안에서 얼마나 귀한 존재였던지, 지금도 동생이 태어난 날 온 동네 사람들의 축하를 받고 싱글벙글 웃으시던 아버지의 모습이 떠오릅니다. 그러니 아들을 위해 부모님이 얼마나 불공을 많이 드렸겠습니까.

남동생이 결혼하게 되었을 때 어머니가 내건 며느리감의 가장 큰 조건은 예수 안 믿는 사람이었습니다. 예수 믿는 며느리가 오면 집안이 망한다고 생각했던 모양입니다. 어머니의 바람대로 올케는 믿지 않는 가정 출신입니다. 그런데 올케가 아이 셋을 제왕절개로 낳고 기력이 쇠해졌는지, 양쪽 귀가 점점 나빠져 수술해도 회복될 가능성은 없으며, 결국 듣지 못하게 된다는 선고를 받게 되었습니다.

올케는 낙심이 되어 심한 우울증을 앓게 되었고, 교회에 가지 않으면 죽을 것 같다는 생각이 들어 교회에 나가게 되었습니다. 그리고 지금은 12년의 기도 끝에 수술 후 양쪽 귀의 청력을 회복했습니다.

어느 날 부모님이 서울에 오셔서 같이 식사할 기회가 있어서 올케가 예수님을 믿게 된 사정을 말씀드렸습니다. 아버지께서는 알았다고 하시며 좋을 대로 하라고 하셨습니다. 그런데 이상하게도 어머니가 아무 말씀도 없으셔서 우리는 암묵적으로 동의하신다고 생각했습니다. 나중에 알고 보니, 하나님께서 어머니의 귀를 닫아서 그 말이 들리지 않게 한 겁니다.

올케는 일단 허락을 받았으니 교회를 다니기 시작했습니다. 나중에 어머니는 못 들었다고 펄펄 뛰셨지만 저와 아버지께 하는 것과는 달리 며느리에게 대놓고 뭐라고 하시지는 않았습니다. 아마 '내 아들만은 나를 배반하지 않겠지' 하는 믿음이 있으셨나봅니다.

한번은 제가 온누리교회 전도집회에 동생을 초청했습니다. 그런데 집회 당일 사람이 너무 많아 찾지를 못했습니다. 나중에 만난 동생이 그날 있었던 일을 이야기했습니다. 목사님께서 "오늘 처음 온 사람 일어나시오" 하기에 '그래, 어떻게 하는지 한번 보자' 하는 심정으로 일어났는데, 강사로 오신 이동원 목사님께서 "예수님께서 2천 년 전 우리를 위해 십자가에 못 박히셨습니다"라고 말씀하시며 기도하시는 순간, 그 내용이 한 점의 의심도 없이 믿어져 한없이 눈물을 흘리게 되었다고 했습니다.

제게 일어난 것과 같은 현상이 벌어진 것입니다. 그러고는 1년 후부터 동생도 어머니께 들킬까 노심초사하며 몰래 교회에 다니기 시작했습니다. 그렇게 3년을 다니던 어느 날, 어머니께 발각이 되었습니다. 그때 어머니가 얼마나 저를 욕하셨는지 모릅니다. 제가 중국에서 돌아오면서 사다드린 선물들을 꺼내놓고 태워버린다고 하시고, 전화하면 끊어버리고, 저와는 한동안 말도 하지 않으셨습니다. 제가 올케와 동생이 하나님을 믿는 데 방패막이가 되었다는 것이 그 이유였습니다.

동생이 예수를 믿고 사업도 일사천리로 잘되었다면 어머니를 전도하는 것이 얼마나 쉬웠을까요. 그런데 제 소망과는 반대로 동생의 사업은 점점 기울어갔습니다.

'하나님, 동생을 전도했는데 이러시면 어떡합니까? 친척들이 예수 믿더니 저렇게 되었다고 얼마나 비웃겠습니까? 이러시면 하나님 창피 아닙니까?'

저는 부르짖었지만 하나님의 뜻은 그것이 아닌 듯했습니다. 동생 배종욱 집사와 올케 임경희 집사는 참 많은 어려움을 겪었습니다. 큰 부자는 아니지만 부잣집 외아들로, 그런 집의 며느리로 풍족히 살던 두 사람이 비록 돈은 잃었지만, 지금 그들의 믿음은 참으로 견고합니다. 하나님 알기를 갈망하며 그 뜻 안에 서기를 소망하고 다락방 순장으로 또 성가대원으로 주어진 사명을 감당하기 위해 애쓰고 있고, 자녀들도 서로 사랑하고 기도하며 믿음 안에서 아름답게 자라고 있습니다.

동생은 해오던 사업을 접고 농촌에 비료 파는 일을 합니다. 처음에는 '내 동생이 어떻게 이런 일을…' 하고 생각했지만, 동생의 믿음의 고백을 듣고 참으로 감사했습니다.

"누님, 이 일은 하나님이 제게 주신 일이에요. 다 추수할 밭이더라고요. 이 사업에도 비전이 있지만, 거기서 만나는 사람들에게 하나님의 마음으로 예수님을 전하는 게 제 일인 것 같아요."

그렇습니다. 제 동생은 비료를 팔러 다니는 것이 아니라 예수를 전하러 다니는 것입니다. 그런 동생을 하나님께서 지켜주셔서 많은 결실을 맺게 해주시라고 기도하고 있습니다.

> 비록 무화과나무가 무성하지 못하며 포도나무에 열매가 없으며 감람나무에 소출이 없으며 밭에 먹을 것이 없으며 우리에 양이 없으며 외양간에 소가 없을지라도 나는 여호와로 말미암아 즐거워하며 나의 구원의 하나님으로 말미암아 기뻐하리로다 합 3:17,18

## 하나의 밀알이 되신 아버지

1998년에 아버지가 전립선암에 걸리셨습니다. 순(筍) 식구들이 많이 기도해주시고, 반태효 목사님(현재 서빙고 온누리교회 담임)과 박종렬 목사님(현재 죠이어스커뮤니티교회 담임)이 심방도 해주시고 기도로 격려해주셨습니다. 아버지는 부산으로 가서 요양하시다 수술 후유증으로 중풍까지 걸리셨습니다. 제가 부산에 내려가서 어머니가 안 계시는 틈을 타서 복음을 전했더니 아버지가 예수님을 영접하셨습니다.

제가 매주 말씀과 찬양 테이프를 들고 가서 들려드렸는데, 다음번에 내려가면 어머니가 불경 테이프로 바꿔놓으셨습니다. 그렇게 영적 전쟁을 하면서 매주 부산으로 내려가서 아버지를 뵙고 오곤 했습니다.

1999년에 제가 온누리교회 여성 사역자 반에서 훈련받을 때 삼성병원 원목이신 김정숙 목사님이 믿지 않는 환자 분들을 전도하셔서, 그들이 임종하실 때 정말 평화롭게 하나님의 품에 안긴 간증을 들었습니다. 그러면서 저도 다시 한 번 소망을 품었습니다.

'우리 부모님도 그렇게 되었으면 좋겠다.'

2001년 말에 우리가 중국으로 간 후에 아버지를 간병하시던 어머니마저 중풍으로 쓰러지셨습니다. 동생이 두 분을 다 돌볼 수는 없기에 제가 어머니를 중국으로 모셔왔습니다. 그런데 오신 지 얼마 안 되어 밤에 화장실에 가시다 넘어지셔서 대소변을 받아내야 할 형편이 되었습니다. 그래서 동생이 잠깐 어머니를 뵈러 중국에 오게 되었습니다. 동생은 아버지가 오래 사시지 못할 것 같다고 하면서 어머니께 아버지 장례식을 기독교식으로 해도 좋다는 허락을 받으러 왔다고 했습니다. 저는 용기를 내어 동생과 함께 어머니께 말씀드렸습니다.

"할 수 없지… 내가 죽은 셈 쳐라."

어머니께는 정말 안 된 일이지만 어머니가 편찮으셔서 누워 계신 것은 하나님께서 허락하신 일이었습니다. 만약 어머니가 조금이라도 몸을 움직일 수 있었다면 아버지의 장례식에 참석하셨을 것이고, 그렇다면 아버지의 유언이 있었다고 해도 어머니가 허락할 리 없기 때문입니다.

얼마 뒤 공관장 회의에 참석하러 한국에 가게 되었는데 그때 아버지께서 매우 위독하셨습니다. 미국에 살던 언니가 도착해서 "아버지, 천국 가세요. 천국 먼저 가시면 우리가 뒤따라 갈게요" 하고, 함께 찬송하고 계속 기도했습니다. 언니는 그때까지 예수님을 믿지 않았는데 그 후에 형부와 함께 온 가족이 모두 하나님의 자녀가 되었습니다. 대학에 다니면서 먼저 예수를 믿은 조카딸이 눈물로 기도한 열매라고 생각합니다. 현재 형부 정연웅 집사와 언니 배영희 집사는 LA 사랑의 빛선교교회를 섬기며 믿음생활을 열심히 하고 있습니다.

아버지는 너무나 고통스러운 시간을 보내고 계셨고, 모든 상황이 곧 돌아가실 것 같았는데도 무언가가 계속 아버지를 붙들고 있는 것 같았습니다. 그제야 우리는 아버지가 어머니를 찾으신다는 것을 알아챘습니다. 어머니가 쓰러지시고 중국으로 오신 뒤, 아버지는 영문도 모른 채 어머니를 찾으셨을 것입니다. 제가 얼른 전화기를 꺼내서 어머니와 통화를 시켜드렸습니다.

"엄마, 아버지가 엄마 찾으시니까 '먼저 천국 가세요. 그러면 내가 뒤따라가리다' 하고 말씀하세요."

그런데 어머니는 계속 "이 세상에 애착 끊고 그만 가세요"라고만 하시는 겁니다.

"엄마, 그러지 말고 제발 '천국 가세요'라고 하세요. 아버지가 못 떠나시잖아요."

어머니는 그제야 할 수 없이 말씀하셨습니다.

"내가 뒤따라갈 테니 먼저 천국 가세요."

그 말에 아버지는 고개를 끄덕이셨고, 얼마 뒤 마지막 숨을 거두셨습니다. 어쩌나 편안하게 가셨는지 아버지 머리맡에 있던 아들딸도 눈치 채지 못하고, 발치에 있던 올케만 마지막 숨을 거두시는 것을 보았습니다. 아버지는 조금 전까지 암과 중풍으로 고생하시던 모습이 아니라 하나님의 품에 안긴 고요하고 평화로운 모습이었습니다. 제가 소망했던 마지막 길이셨습니다. 아버지는 집안 구원을 위한 하나의 밀알이 되신 것입니다.

감사하게도 온누리교회 부목사님 여러 분이 위로예배와 입관예배를 해주셨습니다. 저는 장례의 전 과정을 중국에 계신 어머니가 들으실 수 있도록 전화로 생중계해드렸습니다. 우리는 기쁜 마음으로 아버지의 천국 환송 예배를 준비했습니다. 믿지 않는 친척들을 생각해서 정성으로 준비한 천국 환송 예배는 동생이 섬기는 교회 담임목사님이 주관하시고 김동국 목사님(현재 수원 온누리비전교회 담임)께서 깊은 위로의 말씀을 해주셔서 경건하고도 아름다운 예배가 되었습니다. 하용조 목사님의 배려로 온누리교회 장례위원회에서 많은 분들이 장지인 합천까지 가주셨습니다.

생전에 아버지는 누에고치에서 비단실을 뽑는 제사(製絲) 공장을 경영하고 계셨는데 그 공장이 해인사 근처에 있었습니다. 공장까지는 자동차로 모시고, 공장에 도착해서는 준비된 전통 상여에 모셨습니다. 그런데 공장에 도착해보니, 어머니가 다니던 절의 스님과 보살들이 미리 와서 기다리고 있었습니다. 그런 상황을 예상하고 있었기에 온누리교회 장례위원회 분들이 찬송을 하면서 버스에서 내렸습니다.

공장을 한 바퀴 돈 상여 앞에서 절하라고 시키는 동네 분들과 친척들 앞에서 동생이 꿇어앉아 예배를 드렸습니다. 그렇게 하는 동생의 모습에 질렸는지 절에서 온 사람들이 어느 틈에 사라져버렸습니다. 장지에 가서는 미리 만들어둔 석관이 좁아서 관이 들어가지 않자, 저와 남편을 양육해주셨던 김승곤 장로님이 인부들을 제치고 묏자리로 내려가서 땅을 고르게 해서 하관이 되도록 만들어주셨습니다. 머리가 허연 분이 그렇게 하니, 불교도인 모든 친척들이 "저 분이 누구냐?" 하고 물었습니다. 교회 분이라고 하자 '예수를 믿는 사람은 저렇게 몸을 사리지 않고 궂은일을 도와주는구나' 하고 감명을 받았던 것 같습니다.

아버지의 관 위에는 십자가가 그려져 있고 '성도(聖徒) 배정기'라고 씌어진 천이 덮였습니다. 저는 이 모든 광경을 비디오카메라로 찍어 나중에 중국에 계신 어머니께 보여드렸습니다. 그것을 본 어머니는 '이제 어쩔 수 없구나. 내가 영감을 만나려면 예수를 믿어야겠구나' 하고 생각하셨을 것입니다.


## 어머니의 회심

아버지가 돌아가신 해 가을에 하용조 목사님이 베이징에 오실 기회가 있어서 어머니의 세례를 부탁했습니다. 목사님 일행은 세례를 위한 기구를 비롯해 믿음으로 어머니의 세례 증서까지 써오셨습니다.

처음에 어머니는 세례받는 것을 거부하시고, 무척 망설였지만 사위의 체면을 생각하셨는지 마침내 허락하셨습니다. 세례식이 끝나고 부산 출신의 조정민 집사님이 어머니께 축하 말씀을 하시다가 믿지 않는 자신의 어머니를 생각하며 어머니를 끌어안고 펑펑 울던 모습이 지금도 눈에 선합니다(이후 조 집사님이 온누리교회 부목사님이 되시고, 조 목사님의 어머니도 예수를 영접하셨으니 얼마나 감사한 일인지요!).

그러나 세례를 받은 후 어머니께서 믿음생활을 바로 시작하신 것은 아니었습니다. 그래서 저는 대사관저에서 일하는 아주머니들과 크리스천이었던 어머니의 간병사를 어머니 방에서 같이 성경 공부를 시켰습니다. 아주머니들은 배움이 많지 않은 분들이라, 어머니가 누워서 듣기에 무척 답답하셨던 모양입니다. 어머니는 안 듣는 척하시면서 열심히 듣고는 아주머니들에게 그것을 다시 설명해주곤 하셨습니다. 그 과정에서 예수가 누구인지, 구원이 무엇인지 배우게 되셨습니다.

그러다 어머니가 또 넘어져서 고관절을 다쳐 인공관절을 삽입하는 수술을 하시게 되었습니다. 수술 도중에 혈압이 올라 죽을 고비를 넘기신 어머니는 마침내 77세에 예수님을 구주로 받아들이게 되었습니다.

금년에 87세이신 어머니 김을순 명예 권사님은 현재 교회에서 운영하는 요양원에 계십니다. 지난 추석에는 어머니를 방문한 아들, 며느리, 손자, 손녀들과 함께 예배를 드리면서 부른 찬양이 온 건물에 울려 퍼졌습니다. 그 소리에 어머니 방을 들러본 간호사 선생님과 복지사 선생님들이 어머니께 "어르신은 참 복 받은 분이세요" 하고 부러워하더랍니다.

하지만 믿지 않는 사람들의 눈에는 어머니가 결코 복 받은 분이 아닙니다. 나름대로 어려운 사람을 도와주며 평생을 풍족하게 사셨고, 가진 것을 잃을까 봐 종교를 바꾼다는 것은 생각도 못하고 사신 분인데, 중풍으로 건강을 잃고 예수님을 믿게 되었습니다. 예수님을 믿으면 복도 받고 병도 나아야 하는데 병도 낫지 않고, 오히려 하나밖에 없는 아들의 사업은 점점 기울어만 갔습니다.

그래도 어머니의 믿음은 점점 견고해져 갑니다. 생명이고 진리이신 예수님을 만났기 때문입니다. 건강이 없어도, 재물이 없어도 모든 사정을 아시는 주님이 함께하시므로, 주님을 바라보며 소망 가운데 감사의 찬양을 할 수 있었던 것입니다.

요양원의 모든 예배에 참석하시는 것은 물론이고, 매일 찬송하고 기도하며 성경을 읽으시는데 얼마나 많이 읽으셨는지 어머니의 성경은 너덜너덜합니다. 그리고 기쁨으로 예수님을 전합니다. 친구들과 친척들에게 마비가 안 된 한 손으로 전화를 해서 듣든지, 안 듣든지 전도를 하십니다. 최근에는 어머니가 눈물로 기도하시던 고모부와 막내 이모 가족이 모두 예수님을 믿고 돌아왔습니다.

어머니는 저를 만날 때나 통화할 때 늘 예수님을 믿게 해줘서 고맙다는 말을 잊지 않으십니다. 그리고 70여 년 동안 예수님을 몰랐던 것을 보상이라도 하듯, '믿음의 조상이 되어야지, 기도를 쌓아서 자녀들에게 물려줘야지' 하는 일념으로 기도하며 사십니다.

이제 제 친정 식구는 모두 하나님의 자녀가 되었습니다. 도저히 될 것 같지 않던 이 일이 이루어지는 데 거의 20년이 걸렸습니다. 생각해 보면 모든 것이 하나님의 은혜요 계획입니다. 저 한 사람을 믿는 가정에 보내서서, 예수님과는 전혀 상관없는 저희 집안에 이런 모든 일을 가능하게 하신 분이 하나님이시기 때문입니다.

집안에서 제일 먼저 예수님을 믿어서 힘드십니까? 기도는 결코 땅에 떨어지지 않습니다. 이루어질 그날을 바라보며 소망을 가지고 기도하십시오.

눈물을 흘리며 씨를 뿌리는 자는 기쁨으로 거두리로다 울며 씨를 뿌리러 나가는 자는 반드시 기쁨으로 그 곡식 단을 가지고 돌아오리로다

시 126:5,6

Ambassador Of God

누구든지 회개하며 하나님께 온전히 무릎 꿇고 기도하면,
하나님께서는 응답하시고 풍성한 복을 허락하십니다.

·
·
·

# 2010년 1월 25일 1권이 출간된 후

이 글을 쓰는 현재까지 독자들로부터 대략 4천 통이 넘는 이메일이 왔
다. 처음 2천 통 정도는 성심껏 기도하고 답을 보냈지만 나머지는 너
무 죄송하게도 열어보지도 못하고 포기하고 말았다.

나는 처음에 책을 집필하면서 이렇게 기도했다.

'이 책을 읽는 사람 누구에게나 회개의 영이 임하게 해주시고, 다시
금 기도의 불을 지피게 해주시며, 성령으로 기도하게 해주시며, 방언
하게 해주시고, 믿지 않는 자라도 책을 읽고 예수님을 영접하게 해주
십시오.'

나는 메일을 한통 한통 읽으며 하나님께서 이 모든 기도에 다 응답
하셨음을 알게 되었다.

독자들이 보낸 편지

다음은 독자들이 보낸 책을 읽고 난 후의 반응 중 대표적인 것들을 정리한 것이다.

〈기도에 대한 새로운 깨달음〉

• 제대로 기도하지 못한 것을 회개했다. 하나님과 더 친밀해지고 싶다.

• 기도의 길잡이가 되었다. 기도하지 않고 하나님을 원망만 했던 어리석음을 회개했고, 다시 기도하며 행복과 웃음을 찾았다.

• 하나님께서 내 기도를 들으실까 의심했으며, 믿음이 없어서 기도를 의무로만 생각했는데 회개하고 기도하겠다.

• 몰라서 못하고, 무식해서 못하고, 믿음이 없어 하나님을 기쁘시게 못했던 모든 것을 회개했다. 하지 말아야 할 것들과 해야 할 것들을 하나님께 여쭈어보며 주 안에서 기도하며 살겠다. 기도하지 못했던 죄를 깨닫게 되어 감사하다.

• 목사에게도 큰 충격이다. 매너리즘에서 나오게 했다. 교회 안에 기도 운동이 일어나도록 기도하겠다.

• 한 사람이라도 하나님 앞에 바로 서 있다면 그 주변이 아름답게 변화되는 글을 보며 하나님나라와 그 의를 먼저 구하게 되었다.

• "상황이 되면 하나님 뜻대로 살 수 있다"가 아니라 "하나님 뜻대로 살면 상황도 변할 수 있다"고 고백하게 되었다.

• 다시 기도의 불을 지피게 되었다. 기도했던 부분들이 명쾌하게 확인되었다.

- "이 책을 읽는 당신에게도 동일한 일이 일어날 것이다"라는 문장을 붙들었다.
- 기도는 영혼의 호흡임을 지식으로는 알고 있지만 실제로는 별로 기도하지 않는 내 모습이 부끄러웠다. 그래도 자신 있게 기도하면 주님이 말씀하신다는 것을 다시금 깨닫고 주님과 동행하는 삶을 살기 위해 노력하겠다.
- 모태신앙인데 "내게 물어라 반드시 답할 것이다"에 뒤통수를 맞은 느낌이었다. 하나님께 사소한 것까지 세밀히 묻는 기도를 하겠다.
- 기도가 짐이고 부담이었는데 이제 기쁨과 설렘이 되었다.
- 장로님처럼 무슨 일을 하기 전에 "할까요? 하지 말까요?"라고 묻는 기도를 실천하고 있다.
- 기도에 대한 의문이 해결되었다. 내 기도를 듣고 계시는 하나님을 확신하며 성령님의 인도함을 받는 기도를 하게 되었다.

〈하나님의 음성 듣기에 대한 새로운 깨달음〉
- '내가 너무 말이 많아 하나님이 대답을 못하시는 걸까?' 싶어 내 말을 멈추고 하나님의 말씀에 귀 기울이기 시작했다.
- 하나님은 삶의 구체적인 부분에 역사하셔서 자신을 나타내시는데 나는 너무 관념적으로 살지 않았나 돌아보게 되었고, 얼마나 성령께 의지하고 믿음으로 담대히 살았는지 신앙을 점검하는 기회가 되었다.
- 하나님의 구체적인 인도와 음성을 듣지 못했고, 잘못된 동기와 기

도 부족으로 어려움을 겪고 있었는데, 책을 읽고 충격과 감동이 있었다.

〈중보기도에 대한 새로운 깨달음〉

- 사랑하는 마음을 주님께 달라고 구했는데 중보기도하고 싶은 마음이 생겼다.
- 결혼 기도만 했는데 열방을 위한 중보기도를 시작했다. 믿지 않는 이웃과 잊고 있었던 사람들을 생각하며 중보하기 시작했다.
- 중보기도가 중요하다는 것은 알고는 있었지만 대수롭지 않게 생각했던 나의 생각이 교만임을 알게 되었다.
- 나라에 대해 부정적이기만 하고 기도한 적이 없었는데 나라와 위정자를 위한 기도를 시작했다.
- 자신과 가족만을 위한 기도에서 이웃과 나라를 위한 중보기도를 하면서부터 기도가 시원해졌다. 하나님은 거창한 것을 원하시지 않고 마음을 다해 하나님을 예배하고 하나님의 뜻대로 사는 것을 원하신다는 사실을 알았다.
- 기도를 쌓는 것이 얼마나 중요한지 알았다. 지금의 내 모습은 부모님이 기도해서 쌓은 것의 결과임을 알고 감사하게 되었다.

〈삼위 하나님에 대한 새로운 깨달음〉

- 책을 읽으면서 강한 성령의 임재를 느꼈다. 책을 읽는 중에 방언을 받았고, 십자가의 진실한 의미도 깨닫게 되어 큰 변화를 경험하고

있다. 작은 일에서부터 성령님을 찾게 되었다.

- 성령님을 인격적으로 만났다고 생각했는데 아니었다. 관념과 머릿속에서만이었다. 이제는 성령님을 내 안에 온전히 모시고, 믿음으로 기도하며, 빛과 소금이 되겠다는 다짐을 했다.
- 책을 읽고 예수님을 영접하게 되었다.
- 사상과 이데올로기로 의심이 많았으나, 하나님을 만나게 되었다.

이상 내용과 같이 내가 읽어 본 메일의 내용을 크게 몇 가지로 분류할 수 있었다. 지금까지의 자신들의 믿음과 기도에 대한 태도를 점검하고 회개하며, 다시 한 번 하나님을 온전히 믿고 변화된 기도생활을 하겠다는 것이었다. 그리고 자신이나 가족의 문제를 끌어안고 고민하면서 어떻게 하면 당면한 고난과 고통에서 빠져 나올 수 있느냐 하는 것이었다. 또한 기도와 하나님의 음성을 듣는 것, 목회자나 교회에 관한 질문과 궁금증도 있었다.

그래서 이 책을 새롭게 읽는 분들과 메일에 답을 해드리지 못한 나머지 분들에게 도움이 되리라 믿고, 책을 읽은 독자들의 대표적인 반응과 그동안 나의 기도생활을 통해 얻은 깨달음을 함께 나누고자 한다.

# 영적 성장에 대하여

Q1. 믿음의 확신이 없는데 어떻게 할까요?

☒ 자존감이 없는데 하나님의 선하심을 경험하고 싶습니다.

☒ 하나님은 선택된 사람과만 대화하시는 인색한 분으로만 느껴지고, 나는 차별받는 초라한 탕자라는 느낌입니다.

☒ 하나님 앞에서 늘 죄인이라는 느낌이고, 성령의 사람이 되어야 한다는 강박감이 있습니다.

☒ 하나님께 가까이 가고 싶지만 막상 깊이 들어가려고 하면 두려움을 느낍니다. 하나님이 이런 나를 고치시고 이끌어주셨으면 좋겠습니다.

☒ 하나님을 사랑하는 마음을 달라고 기도하지만, 만약 그 사랑(감정적 또는 인지적)이 생긴다고 해도 어떻게 알 수 있을지 모르겠어요.

☒ 오래 믿었는데도 믿음의 확신이 없습니다.

☒ 자신에 대한 정죄감에 시달리는데, 하나님은 나에게 응답하시지 않는 것 같습니다. 하나님의 사랑을 확신하고 싶습니다.

☒ 성경의 하나님을 어떻게 믿을 수 있습니까?


A1. 온몸과 마음과 정성을 다해 예수님을 섬기십시오.

우리는 하나님 아버지께서 사랑하시고 기뻐하시는 딸과 아들이고,

주 예수 그리스도의 친구이자 신부이며, 성령 하나님의 동역자이자 종입니다. 이것이 바로 우리에게 허락된 가장 고귀한 신분이며 정체성임을 명심해야 합니다. 우리는 모두 죄인이었습니다. 그러나 우리가 예수님을 믿으면 구원을 받습니다. 이것이 하나님의 선물이요 은혜입니다. "너희는 그 은혜에 의하여 믿음으로 말미암아 구원을 받았으니 이것은 너희에게서 난 것이 아니요 하나님의 선물이라"(엡 2:8).

우리가 예수님을 믿는다는 것은 하나님께서 인간의 구원을 위해 임마누엘이신 예수님을 보내셨고, 예수님께서 우리의 죄 값을 대신 갚아주시기 위해서 십자가에 못 박혀 피 흘려 돌아가셨으며, 장사 지낸 지 사흘 만에 부활하신 다음 승천하셔서 만물을 다스리는 주(主)가 되셨고, 성령 안에서 우리에게 다시 오셨으며 재림하실 분임을 믿는 것입니다.

성경에 따르면 죄란 예수님이 하나님께서 보내신 구원자임을 믿지 않는 것입니다. 그렇기 때문에 자신에게 "나는 성경을 신뢰하는가? 성경의 하나님을 믿는가?" 하고 자문해보십시오. 만약 머리로는 믿는데 마음으로 믿어지지 않으면, 겸허히 예수님께 죄인임을 고백하고 용서를 구하십시오. 그리고 당신의 마음에 구원의 주(主) 예수님을 모셔 들이십시오.

누구든지 회개하며 하나님께 온전히 무릎 꿇고 기도하면, 하나님께서는 응답하시고 풍성한 복을 허락하십니다. 데살로니가전서 5장 말씀처럼 항상 기뻐하고, 범사에 감사하며, 쉬지 않고 기도하는 것이 예수님 안에서 우리를 향하신 하나님의 뜻이기 때문입니다.

더 이상 형식적이고, 아무 능력도 없고, 감동도 없는 차가운 믿음생활을 그만두시고, 온몸과 마음과 정성을 다해 예수님을 섬기십시오. 그러면 모든 문제가 풀리기 시작할 것입니다. "하나님이 세상을 이처럼 사랑하사 독생자를 주셨으니 이는 그를 믿는 자마다 멸망하지 않고 영생을 얻게 하려 하심이라"(요 3:16).

Q2. 하나님은 정말 살아 계신가요?

✉ 하나님의 살아 계심을 느끼지 못할 때가 많은데 장로님은 어떻게 그렇게 흔들림 없는 믿음으로 기다릴 수 있는지 부럽습니다.

✉ 기도하면서도 '정말 나의 회개를 하나님이 받으셨을까? 내 기도를 하나님이 들으실까?'라는 생각이 들고, 심지어 하나님의 존재도 의심스럽습니다. 어떻게 해야 하나님이 살아 계신 것을 알고 믿을 수 있나요?

✉ 하나님의 실제를 한 번도 경험한 적이 없어요. 살아 계시고, 삶의 구석구석까지 개입하시는 하나님을 어떻게 만날 수 있나요?

A2. 하나님은 생생하게 살아 계십니다.

우리는 하나님이 살아 계신 것을 알기 위해 이미 내 몸에 내주하고 계신 성령 하나님과 교통해야 합니다. 그런데 성령님과 교통하며, 살아 계신 하나님을 만나기 위해서는 마태복음 5장 8절과 같이 우리 마음이 청결해야 합니다. 하나님 한 분에게만 집중해야 합니다. 그리고 하나님 말씀에 순종해야 합니다. "마음이 청결한 자는 복이 있나니 그들이 하나님을 볼 것임이요"(마 5:8).


Q3. 성령의 인도하심을 어떻게 받을 수 있나요?

☒ 성령의 인도함을 따라 살지 않으면 환란과 고통이 있나요?

☒ 어떻게 해야 성령의 온전한 인도함 속에 들어갈 수 있나요?


**A3. 성령님과 더 친밀한 관계가 되십시오.**

하나님은 우리를 사랑하셔서 항상 우리에게 최고의 것을 주려고 하십니다. 그런데 성령님의 인도함을 받지 못한다면 하나님께서 주시는 것을 온전히 누릴 수 없게 됩니다. 성경에 나와 있듯이 우리가 예수님을 나의 구주로 영접하면 성령님이 우리 안에 들어오시게 됩니다. 그런 성령님을 무시하거나 억압해서는 안 됩니다.

성령님이 우리 안에서 활발하게 활동하시려면 우리 몸에 있는 세포마다 미움과 질투와 시기 대신 사랑과 용서와 인내로 채워야 합니다. 먼저 사람을 사랑하고 모든 일에 정직하십시오. 죄를 짓게 되더라도 속히 회개하십시오. 그리고 인격이신 성령님과 더 친밀한 관계가 되십시오. 그러면 성령님의 온전한 인도를 받을 수 있습니다. "볼지어다 내가 문 밖에 서서 두드리노니 누구든지 내 음성을 듣고 문을 열면 내가 그에게로 들어가 그와 더불어 먹고 그는 나와 더불어 먹으리라"(계 3:20).

Q4. 기름부음이 임하려면 어떻게 해야 하나요?

☒ 왜 저는 기름부음에 반응이 없을까요?

☒ 어떻게 하나님께 영광을 돌리며 살게 되나요?

☒ 기름부음을 어떻게 흘려보내야 하나요?


A4. 먼저 자신이 정결해야 합니다.

기름부음을 받으려면 먼저 당신 자신이 정결해야 합니다. 누구든지 사랑하고 용서하며 정직하면서, 모든 삶이 하나님 한 분에게만 집중되어야 합니다. 기름부음은 세상에 나가 예수님을 전하고, 하나님께서 시키시는 일을 하며, 사람과 세상을 변화시키라고 주시는 것입니다. 그런데 많은 사람들은 자신의 이익이나 영광을 위해 기름부음 받기를 원합니다. 그러한 사람에게는 기름부음이 주어지지 않을 것이며 혹시 주어지더라도 금방 소멸될 것입니다.

또한 마음의 동기가 옳지 않고, 하나님나라를 위해 쓰이지 않는다면 그 기름부음은 양날의 칼이 되어 자신을 찌르는 위험한 결과를 낳을 수도 있습니다. "주의 성령이 내게 임하셨으니 이는 가난한 자에게 복음을 전하게 하시려고 내게 기름을 부으시고 나를 보내사 포로 된 자에게 자유를, 눈 먼 자에게 다시 보게 함을 전파하며 눌린 자를 자유롭게 하고"(눅 4:18).

## 기도에 대하여

Q1. 기도가 잘 안 되는데 어떻게 하나요?

　☒ 기도를 하려고 해도 어떻게 시작해야 할지 모르겠어요. 기도의
　　방법을 배우고 싶습니다.

　☒ 기도가 머릿속에서만 맴돌고 말로 나오지 않습니다.

### A1. 삼위일체 하나님의 도움을 받으십시오.

　기도는 독백이 아닙니다. 하나님께로 가는 유일한 길이 되시는 예수 그리스도의 공로 때문에 기도를 받으시는 하나님과 대화하는 것입니다. 그래서 예수님은 기도를 가르치시면서 먼저 "하늘에 계신 우리 아버지"를 부르라고 하셨습니다. 기도를 받으시는 분이 우리의 아빠, 아버지 되시는 하나님이심을 말씀하셨습니다(마 6:9 참조). 그리고 하나님 아버지 우편에는 지금도 우리를 도우시는 예수님이 계시고, 성령님은 마땅히 빌 것을 알지 못하는 우리를 도우십니다.

　결론은 삼위일체 하나님의 도움이 없이는 기도 자체가 불가능한 것입니다. "이와 같이 성령도 우리의 연약함을 도우시나니 우리는 마땅히 기도할 바를 알지 못하나 오직 성령이 말할 수 없는 탄식으로 우리를 위하여 친히 간구하시느니라"(롬 8:26).

　기도를 어떻게 하느냐는 사람마다 다르겠지만, 저는 기도를 하기 전에 무엇을 기도할지 그리고 누구를 위해 기도해야 할지를 준비합니

다. 기도 목록을 작성하는 것입니다. 그런 다음 성령님을 초청하고 내 마음의 생각을 내려놓고 회개 기도를 하고, 사단이나 악한 것들이 틈 타지 못하도록 대적 기도를 합니다. 그 다음부터는 목록에 따라 일에 관한 기도나 사람을 위한 기도를 합니다.

저처럼 미리 기도할 것을 준비한 다음 기도할 수도 있고, 성령의 임재 가운데 생각나는 기도 제목들을 놓고 기도할 수도 있을 것입니다. "보 혜사 곧 아버지께서 내 이름으로 보내실 성령 그가 너희에게 모든 것을 가르치고 내가 너희에게 말한 모든 것을 생각나게 하리라"(요 14:26).


Q2. 어떻게 기도 응답을 받나요?

✉ "구체적인 기도를 한 후 모든 것을 맡기라"와 "간구하는 기도가 벌써 이루어진 줄 믿으라" 사이에서 혼란스럽습니다.

✉ 어떻게 구체적으로 기도해야 하는지를 배우고, 실천하는 방법들 을 배워서 응답받고 싶습니다.


A2. 하나님이 원하시는 기도를 하면 됩니다.

기도 응답을 받는다는 것은 하나님께서 그 기도를 원하시며 기뻐하 신다는 것입니다. 그렇기 때문에 우리가 하나님이 원하시는 기도를 하면 내 안에 계신 성령님을 통하여 하나님이 기도에 응답하심을 느 낄 수 있게 됩니다.

제 경우에는 기도를 하면서 마음이 즐겁고 평안하면 기도가 응답될 것이라는 확신을 가지게 되며, 그런 기도는 아무리 시간이 걸려도 계속할 수가 있었습니다. 반면에 하나님께서 원하시지 않는 기도를 할 때는 마음이 불편하고 즐겁지 않으며, 기도가 응답될 것 같지 않다는 느낌을 받게 되어 몇 번 하다가 저절로 포기하게 됩니다. 이것 또한 내 안에 계신 성령님께서 도우시는 까닭입니다. "그러므로 내가 너희에게 말하노니 무엇이든지 기도하고 구하는 것은 받은 줄로 믿으라 그리하면 너희에게 그대로 되리라"(막 11:24).

Q3. 더 깊은 기도를 하려면 어떻게 하나요?

☒ 기도에 아무런 능력도 없고 그저 의무적으로 하며 쉽게 지칩니다.

☒ 장로님의 기도는 저로서는 오를 수 없는 경지 같습니다만 그저 바라만 보고 부러워만 하는 것이 하나님의 뜻은 아니겠지요. 저도 할 수 있었을 텐데 최선을 다하지 못했다는 마음이 듭니다.

A3. 먼저 자신보다는 남을 위한 기도를 해보십시오.

하나님이 응답해주시지만 기도자가 그것을 깨닫지 못하는 경우도 많습니다. 일반적으로 자신의 유익을 위한 기도는 응답받기가 어렵습니다. 그런 기도를 하면 지치고 좌절할 수밖에 없습니다. 먼저 자신보다는 남을 위한 기도를 해보십시오. 하나님이 사랑하시는 영혼들을 위해 기도할 때, 하나님의 마음을 느낄 수가 있을 것입니다. 그렇게 기도의 영역을 넓혀간다면 기도가 의무가 아니라 기쁨이 될 것입니다.

"그런즉 너희는 먼저 그의 나라와 그의 의를 구하라 그리하면 이 모든 것을 너희에게 더하시리라"(마 6:33).


Q4. 영의 기도란 무엇입니까?

⊠ 혼의 기도는 무엇이고, 영의 기도는 어떤 것입니까?

**A4. 성령의 도우심을 받아 하는 기도입니다.**

제 경험으로 비추어볼 때 혼(魂)의 기도는 하나님의 뜻에 따라 기도하지 않고 자신의 생각과 욕심만을 위하는 기도입니다. 반면에 영(靈)의 기도는 자신을 위한 기도를 하기보다 먼저 하나님나라와 그 의(義)를 구하는 기도, 내가 있는 곳에서 하나님의 통치가 이루어지기를 원하는 기도, 나라와 민족을 위한 기도, 남을 위한 기도를 말합니다.

우리가 영으로 기도하기 위해서는 성령님의 도움이 필요합니다. 우리는 하나님의 뜻을 정확히 모르지만, 성령님은 하나님의 생각을 아시며 말할 수 없는 탄식으로 우리를 위하여 친히 간구하시는 분이기 때문입니다.

그리고 바울도 방언의 중요성을 강조했지만, 제 경험에 비추어보면 방언으로 기도할 때 기도가 깊어지고, 하나님의 임재도 더 경험할 수 있었습니다. 그러므로 방언으로 기도하기를 사모하십시오. "내가 영으로 기도하고 또 마음으로 기도하며 내가 영으로 찬송하고 또 마음으로 찬송하리라"(고전 14:15).

Q5. 방언 기도와 통변은 어떻게 받나요?

☒ 내가 하는 것이 진짜 방언일까요?

☒ 방언을 하지만 그 내용을 몰라 답답한 마음에 통변을 구합니다.


A5. 방언과 통변은 하나님이 주시는 귀한 선물입니다.

처음에 방언을 하면 자꾸 이성적인 생각이 끼어들어서 자신의 방언이 진짜가 아닌 것 같다는 생각을 합니다. 그러나 방언은 사람마다 다르고 또 계속 변합니다. 그러니 자신이 하는 방언을 의심하지 마십시오. 그래도 의심이 들면 성령님께 하나님이 주신 방언이 아니면 거두어달라고 기도하십시오. 만일 거두어지지 않으면 믿음으로 감사하며 영으로 하나님께 기도하는 것을 계속하십시오.

방언은 그 자체가 하나님께서 주신 귀한 선물입니다. 통변이 안 된다고 해서 힘들어 할 필요가 없습니다. 통변은 우리가 원한다고 되는 것이 아니라 하나님이 주셔야 합니다. 통변에 신경 쓰지 마시고 그냥 기도하십시오. 내 생각으로 드리는 기도는 한계가 있으므로 성령님께서 내 기도를 도우시도록 맡겨드리십시오.

비록 내용은 모를지라도 의미가 없는 언어를 쏟아내는 것이 아니라, 성령님을 통하여 내가 하나님께 영으로 비밀을 말하고 있음에 만족하십시오. 언젠가 하나님께서 통변이 필요하다고 생각하시면 주실 것입니다. "방언을 말하는 자는 사람에게 하지 아니하고 하나님께 하나니 이는 알아듣는 자가 없고 영으로 비밀을 말함이라"(고전 14:2).

Q6. 묻는 기도는 어떻게 하나요?

☒ 묻는 기도에 대한 응답은 어떻게 분별하나요?

A6. 하나님께만 집중하십시오.

묻는 기도에 대한 응답은 여러 가지로 옵니다. 기도를 하면서 성령님께서 주시는 감동으로 알 수도 있고 아니면 성경말씀으로, 몸으로, 환상으로, 꿈으로 알 수도 있습니다. 어떤 때는 내면에서 들리는 하나님의 음성으로 알기도 합니다.

그런데 이 응답을 느끼거나 알기 위해서는 나 자신이 준비되어야 합니다. 즉, 내 안에 계신 성령님과 나 사이에 장애물이 없어야 합니다. 그래야 성령님을 통해 하나님의 뜻을 분별할 수 있습니다. 그러기 위해서 하나님이 계시다는 믿음을 가지고 하나님 한 분께만 집중하는 것이 중요합니다. 그리고 사람을 진심으로 사랑하며 정직해야 합니다. 그런 준비가 되어 있지 않는 한 응답을 받기가 어려우며, 응답을 받았다고 해도 확신이 없을 때가 많습니다. "이는 내 생각이 너희의 생각과 다르며 내 길은 너희의 길과 다름이니라 여호와의 말씀이니라 이는 하늘이 땅보다 높음같이 내 길은 너희의 길보다 높으며 내 생각은 너희의 생각보다 높음이니라"(사 55:8,9).

# 하나님의 음성 듣기에 대하여

Q1. 하나님의 음성을 정말 들을 수 있나요?

▷ 저도 하나님께 여쭙고, 인도하심에 순종하고 살았지만, 주위 사람에게 말할 수가 없었습니다. 이제는 하나님께 묻고, 하나님의 음성을 듣는 것이 정상이라는 것을 알고 안도감을 가지며, 더 확실히 듣고 싶은 마음을 갖게 되었습니다.

▷ 하나님의 음성을 듣고 싶은데, 그렇게 되면 하나님과 주종 관계가 되는 것은 아닌가요?

▷ 하나님의 음성을 못 들어도 하나님을 아버지라고 할 수 있나요?

▷ 하나님께 기도했는데 음성을 못 듣거나 응답을 받지 못하면 불안합니다. 음성을 듣는 다른 사람들을 부러워하는 한편, 불안한 마음을 달래려고 인간적인 꾀와 방법을 찾습니다.

A1. 감사하며 때를 기다리면 들을 수 있습니다.

하나님은 자녀인 우리의 모든 것에 관심을 가지고 계십니다. 그러므로 우리는 아버지가 말씀하시는 것을 들을 수 있습니다. 그런데 꼭 귀로만 듣는 것은 아닙니다. 물론 귀로 들을 때도 있겠지만 대부분의 경우는 마음으로 듣는 것입니다.

또한 성경말씀을 묵상할 때 평소에는 그냥 지나치던 말씀들이 살아서 나의 마음판에 깊이 새겨질 때가 있습니다.

그리고 하나님의 음성을 들으려고 너무 집착하지 마십시오. 하나님의 음성을 듣는 데 매달리기보다는, 오히려 범사에 감사하며 모든 것을 하나님께 맡기고 말씀에 순종하고 열심히 기도하면서 때를 기다려야 합니다. 그러면 어느 날, 전혀 기대하지도 않은 상황에서 말씀을 듣게 될 것입니다. 주님은 우리의 선한 목자이시기 때문에 말씀을 믿고 기다리면 반드시 응답하실 것입니다. "나 곧 내 영혼은 여호와를 기다리며 나는 주의 말씀을 바라는도다"(시 130:5).

　　Q2. 하나님의 음성이 왜 들리지 않을까요?

　　☒ 성령님이 내 안에 계시는데 왜 음성을 듣지 못할까요? 하나님의 음성이 안 들리는 것인지, 못 듣는 건지 모르겠습니다.

　　☒ 기도하여 하나님의 음성대로 했는데도 현실은 너무 안 풀려서 혼란 중에 있습니다.

　　☒ 내가 들은 것이 하나님이 말씀하시는 것인지, 내 마음속에서 만들어내는 허상을 주님이 주신 것으로 받아들이는 것은 아닌지 혼란스럽습니다.

　　☒ 하나님이 주시는 마음의 감동은 어떻게 오나요?

　　☒ 하나님이 주시는 말씀과 사단이 주는 것과는 어떻게 구별해야 할까요?

## A2. 하나님은 만물을 통해서 말씀하십니다.

하나님은 말씀하시지만 내 내면이 상처와 거짓, 미움과 질투, 선입견과 욕망 등이 쌓여 있기에 잘 들리지 않거나 혼란스러운 것입니다. 따라서 하나님의 말씀을 듣기 위해서는 먼저 자신의 내면을 잘 정비해야 합니다. 믿음과 사랑과 정직과 순종으로 내 마음을 깨끗하게 해야 합니다. 내 몸에서 죄가 뿌리를 잡지 못하도록 성령으로 충만히 채워져야 합니다. 그렇게 되면 하나님의 음성을 들을 수 있습니다.

그러나 다시 말씀드리지만 마음에 미움과 질투, 거짓과 불신, 욕심과 온갖 세상적인 생각으로 가득 차 있으면, 하나님이 아무리 말씀하셔도 들으실 수 없습니다. "여호와의 손이 짧아 구원하지 못하심도 아니요 귀가 둔하여 듣지 못하심도 아니라 오직 너희 죄악이 너희와 너희 하나님 사이를 갈라놓았고 너희 죄가 그의 얼굴을 가리어서 너희에게서 듣지 않으시게 함이니라"(사 59:1,2).


## Q3. 전해들은 하나님의 음성이 실현되지 않는데요?

- ☒ 주변 사람들의 기도로 인도받고 있는데 직접 하나님의 음성을 듣고 싶습니다.
- ☒ 사역자들이 들었다는 하나님의 음성이 현실과 너무 달라서 혼란스럽습니다.
- ☒ 기도하시는 분들을 통해 메시지를 많이 들었으나 '과연 내게 이루어진 것이 있는가?' 하는 질문에 회의적입니다.

## A3. 분별하는 것은 개인의 몫이고 책임입니다.

믿음의 길은 홀로 걷는 길이 아닙니다. 목회자는 이 길을 우리와 함께 걷는 분입니다. 그렇지만 그는 하나님이 아니고 우리와 같은 연약함을 가진 사람이기에 언제든지 실수할 수 있습니다. 목회자가 우리를 돕고자 하는 마음으로 들은 하나님의 음성을 전했을지라도 그것을 분별하는 것은 우리의 몫이고 책임입니다.

그러므로 먼저 자신이 기도하고, 하나님의 음성이 내게 평안과 기쁨을 주었는지 점검하고 또 다른 검증된 분에게서 확증을 받으십시오. 두 번째는 누군가로부터 말씀을 받았을 때 그것이 이루어지기를 기도해야 합니다. 그리고 가장 중요한 것은 성경말씀을 통해 확증을 받는 것입니다. "내 양은 내 음성을 들으며 나는 그들을 알며 그들은 나를 따르느니라"(요 10:27).

## 삶의 문제들에 대하여

Q1. 건강이 좋지 않은데 어떻게 할까요?

　☒ 부모의 희귀병이 자녀에게 유전될까 두렵습니다.

　☒ 딸이 아토피인데 어떤 음식을 먹여야 할까요?

　☒ 키가 작은데 호르몬요법을 해야 할까요?

　☒ 거식증, 간질, 틱(tic, 근육 불수를 일으키는 신경병) 있는 자녀가 있
　　습니다.

　☒ 우울증이 심합니다. 하나님께서 반드시 응답해주실 것인데 염
　　려를 떨치지 못해서 그럴까요?

　☒ 10년 이상 영적 눌림(강박증)에 고통받고 있습니다.

　☒ 병원 치료를 해야 하나요 아니면 기도만 해야 하나요?

　☒ 건강이 안 좋은데 기도가 되지 않습니다.


A1. 먼저 회개할 것이 있는지 돌아보고 중보자들과 합심해 기도하십시오.

　제게 위와 같은 건강상 문제를 이야기하면서 기도를 요청한 독자들
이 많았습니다. 물론 치유의 은사를 가지신 분도 계십니다. 그렇지만
제가 《하나님의 대사》 1권에서 중국인 친구의 병 낫기를 위해 기도한
것은 그와 오랫동안 함께 일했고, 10여 년 동안 그를 위한 사랑의 기도
를 쌓아왔기 때문에 가능했던 것입니다. 손녀의 아토피를 위한 기도
도 같은 맥락입니다. 따라서 모르는 사람에게 자신의 질병을 위한 기

도를 부탁하는 것은 우선순위가 바뀌었다고 생각합니다. 누구에게 부탁하기 전에 스스로 믿음을 가지고 기도하십시오.

예수님께서 병자들을 긍휼히 보시고 고쳐주신 모습은 복음서 곳곳에 나타납니다. 병자가 믿음이 있든지, 병자를 돌보는 이웃이 믿음이 있든지, 심지어 원망만 하고 있는 자에게도 예수님은 오셔서 고쳐주셨습니다. 육체의 질병이든, 정신적인 아픔이든, 영적인 병이든 상관없이 예수님은 치유하십니다.

그런데 죄 사함의 권세를 가지신 예수님은 병을 낫게 하는 사역보다 먼저 죄 사함을 선포하셨습니다. 따라서 병을 치유하는 가장 좋은 방법은 먼저 죄를 깊이 회개하는 것입니다. 그리고 사랑이 넘치는 환경에서 강력한 믿음을 가진 사람들이 모여 합심하여 함께 기도해야 합니다. 동시에 과학적인 치료도 하나님이 주신 것이니만큼 병행해야 한다고 생각합니다. "그러므로 너희 죄를 서로 고백하며 병이 낫기를 위하여 서로 기도하라 의인의 간구는 역사하는 힘이 큼이니라"(약 5:16).

Q2. 사회생활과 신앙생활을 다 잘할 수 있나요?

&boxtimes; 사회생활하면서 술로 인해 힘들지만 먼저 나 자신의 믿음부터 점검해야겠습니다.

&boxtimes; 자주 있는 술자리에서 소외감과 어려움이 있으나 승리하고 싶습니다.

&boxtimes; 일터에서 매일 깨어서 성령 안에서 기도하고 싶습니다.

✉ 주일에 일이 있는데 어떻게 해야 하나요?

A2. 일터는 하나님께서 우리에게 허락하신 사역지입니다.

비록 어려운 환경이라 할지라도 하나님께서는 자신의 자녀들이 믿음의 선한 싸움을 싸우며 선한 영향력을 끼치기를 기대하시며, 이를 위해 성령께서 우리를 도우십니다. 성령님을 의지하십시오. 그러면 반드시 승리할 것입니다. "무릇 하나님께로부터 난 자마다 세상을 이기느니라 세상을 이기는 승리는 이것이니 우리의 믿음이니라"(요일 5:4).


Q3. 진로와 직장의 문제를 어떻게 할까요?

✉ 진로를 염려 말라 하시는데 계속 염려가 됩니다.

✉ 은퇴 후 어떻게 살아야 할까요?

✉ 하나님의 음성을 듣고 진로를 결정하고 싶습니다.

✉ 하고 있는 일을 계속할지 그만두어야 할지 모르겠어요.

✉ 직장에서 예수님을 전하는 것으로 갈등이 생겨 그만두었는데 어떻게 해야 할까요?

✉ 지금 하는 사업이 하나님의 뜻에 합한 것인지 알고 싶습니다.

✉ 사업이 망했는데 새 사업을 해야 할지 아니면 직장을 구해야 할지 모르겠습니다.

✉ 사업을 해야 하는지 선교를 가야 하는지 궁금합니다.

**A3. 스스로 기도하면서 해결해야 합니다.**

저에게 위와 같은 고민을 토로하면서 기도를 해달라고 요청한 독자들이 많았습니다. 그런데 제가 책에서 진로에 대해 언급한 경우는 제가 하려고 해서가 아니고 그 사람을 위해 기도하는 중에 하나님께서 그냥 주신 것입니다. 그것은 아마 그 사람에 대한 기도가 쌓였기 때문으로 생각됩니다. 따라서 전혀 모르는 사람으로부터 이메일을 받고 하나님께 위와 같은 질문을 하는 기도는 해서도 안 되고, 할 수도 없다고 생각합니다.

자신의 문제는 스스로 기도하면서 해결해야 합니다. 하나님 앞에 무릎 꿇고 온전히 기도한다면 하나님께서는 여러 가지 방법으로 답을 주실 것입니다. 또 답을 알 수 없다고 하더라도 반드시 가장 선한 길로 인도하실 것입니다. 가장 좋은 방법은 자신을 정결하게 한 상태에서 온전히 기도하는 것입니다. "나를 사랑하는 자들이 나의 사랑을 입으며 나를 간절히 찾는 자가 나를 만날 것이니라"(잠 8:17).


Q4. 재정이 너무 어려운데 어떻게 할까요?

　　✉ 재정적으로 너무 어려워서 하나님을 믿기가 힘듭니다. 한 번이라도 하나님의 음성을 들으면 믿을 수 있을 것 같습니다.

　　✉ 기도하며 시작한 사업인데 정리가 안 되어 재정 압박이 심합니다.

　　✉ 재정 파탄에 휘말렸는데 담대하게 하나님의 뜻을 분별하여 순종하기 원하고, 복음도 전하고 싶습니다.

☒ 경제적 어려움에서 벗어나기 원하며 사람보다 하나님을 의지하
   기를 원하지만 잘되지 않습니다.

☒ 남편 모르는 빚으로 우울증에 걸렸어요. 가족에게 짐이 되고 싶
   지 않습니다.

☒ 돈에 관한 올바른 기도법은 무엇인가요?

☒ 재정적인 문제, 사업상 문제로 재판 중에 있습니다.

## A4. 돈에 대한 마음의 태도가 중요합니다.

많은 독자들이 제게 돈에 관한 기도를 요청하셨습니다. 성경에는
"하나님과 재물을 겸하여 섬기지 못하느니라"(마 6:24)라고 했습니다.
돈은 단순히 물질에 그치지 않고 하나님 대신 우리 마음의 주인 자리
를 차지하는 아주 강한 우상이기도 합니다. 물질에 관한 기도는 다른
사람에게 요청할 기도가 아니고 또 해서도 안 됩니다. 저도 돈이나 재
물에 관한 기도는 하지 않습니다. 물론 다른 사람을 위해서도 하지 않
습니다.

독자들 중에 큰돈을 벌면 하나님나라에 쓰겠다고 하는 분들이 있는
데, 하나님께 드리겠다고 하기 전에 먼저 하나님의 성실한 자녀가 되
십시오. 하나님은 물질을 잘 관리하고 하나님의 마음에 합하게 쓸 줄
아는 청지기에게는 부(富)를 더 허락하실 수도 있고, 하나님나라를 위
해 요긴하게 헌금하게도 하십니다.

그러나 대부분의 사람들은 그런 준비나 마음의 상태가 되어 있지
않습니다. 많은 물질을 감당할 준비가 되지 않았는데 물질이 생긴다

면 하나님을 향한 시선이 흐려지기 쉽습니다.

하지만 우리가 이 땅에 사는 동안 기본적인 필요는 언제나 있고, 그것은 아버지이신 하나님께서 책임지신다고 약속하셨기에 구하십시오. 빚 때문에 고통받고 계시다면 하나님께 부르짖어 기도하십시오. 하나님은 부르짖는 자의 고통과 신음을 결코 외면하지 않으십니다. 그러나 하나님의 때는 하나님께 맡기고 절망하지 말고 열심히 기도하십시오. 하나님께서 도우실 것입니다. "돈을 사랑함이 일만 악의 뿌리가 되나니 이것을 탐내는 자들은 미혹을 받아 믿음에서 떠나 많은 근심으로써 자기를 찔렀도다"(딤전 6:10).

Q5. 가정의 문제는 어떻게 해야 할까요?

☒ 책을 읽고 가족을 사랑하고 축복하는 기도를 하고 싶은 마음이 생겼습니다. 그런데 아버지와 어떻게 소통해야 할지, 기도를 어떻게 시작해야 할지 엄두가 나지 않습니다.

☒ 재정적 어려움과 폭력, 부모 이혼으로 인한 마음의 상처와 갈등으로 아버지와 관계가 어렵습니다. 믿음 없고 술을 많이 마시는 아빠가 감당이 안 되고, 마음의 문이 닫혀서 기도가 안 됩니다.

☒ 남편의 외도로 힘들어요.

☒ 남편이 무능해서 경제적으로 힘들고 이혼을 생각하기도 하는데 "이혼하지 말라" 할까 봐 기도하지 않습니다.

☒ 교회에 다니지만 음란의 영에 잡힌 남편을 어떻게 해야 할까요?

☒ 불신자와 결혼해서 어려움을 겪고 있습니다.

☒ 게임 중독에 빠진 남편과 잘살 수 있게 도와주세요.

☒ 자녀가 청소년인데 죄와 음란, 미움과 혈기 등으로 잘못될까 두렵습니다.

☒ 부모님을 모시는 문제를 하나님의 뜻대로 하고 싶습니다.

☒ 시어머니가 너무 미운데, 사랑하고 이해하게 해주세요.


## A5. 가족은 무조건 사랑하고 용서해야 합니다.

가족 간의 갈등은 피할 곳이 없는 고통입니다. 모든 가족 간의 문제는 결국 사랑과 용서가 열쇠입니다. 자신이 어떠한 경우에서든지 가족을 무조건 사랑하고 용서하지 않는 한, 다른 어느 누구도 이 문제를 해결해줄 수 없습니다.

결혼은 우리를 다듬고 정련하는 하나님의 훈련장입니다. 우리 모두 죄로 말미암아 하나님의 영이 떠나고, 홀로 자기 노력으로 살았기에 자신을 믿고 쉽게 가족을 미워하고 판단하는 존재가 되었음을 알게 됩니다. 이유 여하를 막론하고 '용서'가 치유의 핵심입니다. 예수님께서 십자가에서 흘리신 보혈로 나의 모든 죄와 허물이 진정 죄 사함 받았음을 믿는다면 나에게 잘못을 저지른 자를 용서하라고 하시는 하나님의 요구는 과하지 않을 것입니다. 용서하지 않으면 기도도 막히고 영적으로 갇힌 상태가 됩니다. 그 아픔을 주님께 토하십시오.

남편의 문제로 인해 괴로워하는 부인에게는 남편을 용서하고 깊이 사랑하며 기도하는 것이 당연히 어려울 것입니다. 그래도 끊임없이 기도하면 어떠한 가족 문제도 해결할 수 있다는 믿음으로 기도해야 합니다. 고부 간의 갈등도 사랑으로 풀어야 합니다. 눈에 보이는 시어머니를 사랑하지 못하는데 어떻게 보이지 않는 하나님을 사랑할 수 있겠습니까?

자녀 문제 또한 기도하면 하나님께서 틀림없이 아이를 변화시켜주실 것이라는 믿음을 가지고 기도해야 합니다. 자신은 믿음 없이 기도하면서 다른 사람들의 기도에 의지하려 한다면 문제는 해결되지 않을 것입니다. "너희가 만일 너희를 사랑하는 자만을 사랑하면 칭찬받을 것이 무엇이냐 죄인들도 사랑하는 자는 사랑하느니라"(눅 6:32).


Q6. 결혼에 대한 기도는 어떻게 해야 할까요?

☒ 결혼 기도 후 첫 번째 만난 이 사람이 배우자인지를 질문하는 기도를 계속하는 것이 고집인지요? 기도를 멈추려 해도 그것이 불순종일까 두렵습니다.

☒ 결혼이 하나님의 뜻인가요? 아니면 독신으로 살아야 하나요?

☒ 배우자를 놓고 하는 기도가 욕망인지 아니면 성령의 기름부음 가운데 드리는 기도인지 모르겠습니다. 또 지금 만나는 사람이 내 배우자인지 확신이 없습니다.

☒ 아들이 결혼하겠다고 하는 여자가 마음에 들지 않습니다. 게다가 불신자입니다. 어떻게 해야 하나요?

**A6. 결혼에 관한 한 본인이 이미 답을 알고 있습니다.**

이런 문제에 대해서는 질문하는 자신 스스로가 이미 어느 정도 그 답을 알고 있다고 생각합니다. 상대방의 조건 때문에 망설이면서 하나님의 답을 알고 싶다고 생각하는 것은 아닌지요. 성령님께 자신의 마음을 비추어달라고 기도한 후 자신의 마음을 정직하게 살펴보세요.

자녀의 결혼 문제도 그렇습니다. 모든 상황을 이미 알고 계시는 하나님께 기도하십시오. 그리고 이 문제를 놓고 자녀들과 함께 기도하면서 서로 진솔하게 마음을 열고 얘기를 나눠보십시오. 만약 그렇게 했고 또 오랫동안 하나님께 부르짖었는데도 계속 자녀가 만남을 유지하며, 그 사람과의 결혼을 원한다면 하나님은 나의 자녀의 하나님이시기도 하시기 때문에 그것이 하나님의 응답일 수도 있다고 생각합니다. "아무것도 염려하지 말고 다만 모든 일에 기도와 간구로, 너희 구할 것을 감사함으로 하나님께 아뢰라 그리하면 모든 지각에 뛰어난 하나님의 평강이 그리스도 예수 안에서 너희 마음과 생각을 지키시리라" (빌 4:6,7).

## 목회자와 교회에 대하여

Q1. 섬기는 교회에 문제가 있을 때는 어떻게 하나요?

✉ 현재 다니는 교회에 은혜가 없는데 옮겨야 할까요?

✉ 교회를 정할 수 있게 기도해주세요.

**A1. 교회를 위해 조용히 중보기도를 해야 합니다.**

우리 크리스천은 스스로 말씀을 묵상하고 먹는 훈련과 기도생활을 계속해야 합니다. 동시에 어떤 설교를 듣느냐 하는 것은 영혼의 생사를 결정하는 중요한 문제입니다. 예수님을 사랑하는 마음에서 나오는 말씀의 꿀을 계속 먹지 못하고 굶주리면 위험에 처할 수도 있습니다.

그러나 이미 은혜에 잠긴 성도라면 교회를 옮기는 것보다 자신이 속한 교회를 위해 조용히 중보기도하면서 지체들을 돌보게 하시려는 하나님의 뜻이 있는지 기도할 필요가 있습니다. "나는 선한 목자라 선한 목자는 양들을 위하여 목숨을 버리거니와"(요 10:11).

Q2. 사역자인데 죄 문제를 어떻게 할까요?

✉ 세상적인 마음을 다 내려놓고, 성령의 음성을 듣고 성령께서 역사하시는 목회를 하고 싶습니다.

✉ 기도에 게을렀고 자기 열심과 주관을 하나님의 뜻으로 오해했는

데 이제는 하나님의 음성을 듣고 사역하고 싶습니다.

⊠ 설교의 부담감이 너무 크고, 지금까지 보여주기 위한 목회를 하며 교회의 크기를 키우는 성공주의로 살았습니다.

⊠ 건강 때문에 사역을 포기하고 싶습니다.

⊠ 음란 죄를 지었는데, 이제는 하나님께 집중하고 싶습니다.

⊠ 목회자 가정의 관계 회복을 구합니다.

⊠ 교회를 운영하며 빚을 많이 졌는데 길을 알려주세요.

⊠ 무임으로 하는 목회를 계속해야 하는지요?

⊠ 목회자의 자녀들이 가난 때문에 아르바이트 하는데 주일성수가 어렵습니다.

⊠ 전도사인데 주위에 중보기도자가 없습니다.

⊠ 사역자인데 하나님께서 살아 역사하심을 지식적으로만 알고 있으며, 예수님이 죄와 사망에서 나를 구원하심이 믿어지지 않습니다. 성경 읽을 때 감동이 없는데 온전히 성령의 사람으로 살고 싶습니다.


A2. 모든 것을 내려놓고 기도하십시오.

메일을 보며 많은 사역자와 가족들, 신학생들, 특히 가난한 개척교회 목사님들의 재정적인 어려움과 가족들이 당하는 고통에 가슴이 아팠습니다. 어려운 현실 가운데서도 하나님의 일을 위해서 모든 것을 감수하시는 분들의 사연에는 다만 고개가 숙여질 뿐이었습니다.

그런데 간혹 목회를 하시는 분들 중에는 '어떻게 하면 교인 수를 늘

릴까? 어떻게 하면 남들이 부러워하는 큰 교회를 지을까?'에 골몰하시는 분들이 있습니다. 그것은 하나님의 뜻과 영광보다는 자신의 이익과 영광을 나타내려는 측면이 강합니다. 교회가 크다고 하나님께서 다 좋아하시는 것이 아닙니다. 교회가 작아도 하나님께서 사랑하시는 교회가 많습니다. 목회자들이 그런 면에만 신경을 쓰면 기도를 깊이 할 수가 없습니다. 모든 것을 내려놓고 기도하십시오. 목회자가 기도를 우선으로 하시면 모든 어려움이 풀리기 시작할 것입니다.

또한 성령님께서 말씀을 주시지 않으면 진정한 의미에서 먹여줄 것이 없는 목회자의 절박함을 성도들도 인정하고 함께 아파하며 기도로 도와야 합니다. 목회자도 구원의 은혜가 절박한 성도들의 필요를 가지고 그들과 함께 하나님 앞에 계속 나아가야 한다고 생각합니다.

갈급한 교회에 하나님께서 회개의 은혜를 부어주시고 부흥을 준비하는 기도의 불을 붙여주시기를 간구합니다. "나의 구원과 영광이 하나님께 있음이여 내 힘의 반석과 피난처도 하나님께 있도다 백성들아 시시로 그를 의지하고 그의 앞에 마음을 토하라 하나님은 우리의 피난처시로다 (셀라)"(시 62:7,8).

Q3. 부르심과 소명에 대한 확신을 어떻게 가질 수 있나요?
   ☒ 사역자인데 구체적으로 하나님의 부르심이 있는지 알고 싶어요.
   ☒ 목회자인데 하나님께서 기뻐하시는 사역인지 알고 싶고, 내가 하나님보다 앞서 가는 것은 아닌지 알고 싶습니다.

⊠ 예수님을 만난 적이 없고, 깊은 기도의 경험도 없는데 사역을 하고 있습니다.

⊠ 어머니가 서원하셨는데 나에게는 부담감과 의문이 많습니다.

⊠ 삼 대째 목사인데 사역을 계속하는 것이 하나님의 뜻인지 모르겠습니다.


### A3. 부르신 하나님께서 책임지실 것입니다.

사역자에게 확실한 하나님의 부르심이 없다면 부르심을 받지 못한 것이라고 생각할 수 있지 않을까요. 소명이나 부르심은 어느 기회에 자신에게 직접 주시든지 아니면 다른 사람들을 통해 주신 다음에 반드시 본인에게 확증을 주신다고 생각합니다.

하나님께서 당신의 일을 맡기시는데 처음부터 혼란을 주시겠습니까? 하나님의 말씀을 선포할 사명을 받은 사람에게 하나님 자신이 힘이요, 소망이요, 반석이요, 요새요, 기쁨이 아니라면 무엇을 의지할 수 있겠습니까?

때때로 오랫동안 혼란스럽기도 하고 어려운 상황에 처하기도 하지만 부르심에 대한 확신은 하나님께서 주셨기에 위로와 소망의 근거가 됩니다. 그러므로 재정이든 사역지든 가족의 문제든 하나님께서 책임지실 것입니다. 하나님께서 시작하신 것이므로 하나님께서 이루실 것이고, 하나님께서 영광을 받으실 것입니다.

또한 부르심을 받은 사역자에게 가장 필요한 것은 사랑이 넘치는 목자의 심령이라고 생각합니다. 만약 사역자가 권위적인 태도나 군림

하려는 자세를 가진다면 성도들에게는 어려움이 될 수 있습니다. 하나님께서 주신 권위는 마음을 상하게 하지 않습니다. 그러나 비록 드러내놓고 말은 하지 못하지만, 인간이 조종하려는 모습은 참으로 성도들을 힘겹게 합니다. 성도든 목회자든 경외해야 할 분은 오직 하나님 한 분뿐입니다.

우리는 모두 연약하기 짝이 없는, 깊이 들여다보면 악하기 이를 데 없는 죄인일 뿐입니다. 그런 우리를 하나님께서 예수님의 피로 깨끗케 하시고 의인으로 불러주신 것입니다. 그리스도의 몸의 지체로서 서로 긍휼히 여기며 세워주라고 우리를 교회 공동체로 부르셨음을 기억하십시오. "그가 어떤 사람은 사도로, 어떤 사람은 선지자로, 어떤 사람은 복음 전하는 자로, 어떤 사람은 목사와 교사로 삼으셨으니 이는 성도를 온전하게 하여 봉사의 일을 하게 하며 그리스도의 몸을 세우려 하심이라"(엡 4:11,12).

보라 내가 새 일을 행하리니 이제 나타낼 것이라
너희가 그것을 알지 못하겠느냐
반드시 내가 광야에 길을 사막에 강을 내리니

이사야서 43장 19절

| 에필로그 |

# 하나님의 새로운 인도하심

## 축복에 따르는 고난

나는 1965년 대학에 입학하면서 예수를 떠난 지 29년 만인 1994년에 다시 예수님을 믿기 시작하여 1995년 1월에 세례를 받았다. 감사한 것은 많은 사람들이 무언가 큰 시련이나 어려움을 겪으면서 예수님을 믿기 시작하는 데 반해, 나는 아무런 어려움을 겪지 않고 하나님을 깊이 믿게 되었다는 사실이다.

게다가 예수님을 다시 믿고 1995년에 외무부 아태국장이 되었고, 1997년에 외무부 장관 특별보좌관이 되었으며, 1998년에 대통령 의전비서관이 되었다. 그리고 2000년에 대통령 외교안보수석비서관이 되었고, 2001년에 주중대사가 되었으며, 2008년에는 통일부 장관이 되었다.

나는 고난을 겪지 않고 예수를 믿게 된 대신에 하나님이 나를 축복하시는 만큼 내 자신이 스스로 힘든 길을 가기로 결정했다. 가능한 한 세상적인 즐거움은 멀리하고 시간만 나면 무릎 꿇고 기도하면서 하나님 말씀에 충성하는 삶을 살기로 했다. 무척 단조롭고 무미건조한 생활이었지만 나는 감사하게 받아들이며 인내했다.

지위가 높아지면 높아질수록 내 생활은 더욱 힘들어졌다. 청와대 시절도 그랬지만 대사로 있을 때도 마음 놓고 잠을 자기가 쉽지 않았다. 토요일도 공휴일도 없었다. 일 년 내내 일 아니면 기도 그리고 남을 돕는 일이 전부였다.

일이 많을 때는 일 때문에, 일이 없을 때는 공부와 기도 때문에 빨리 자야 새벽 2시나 3시였다. 대사 시절이나 은퇴한 지금도 누군가에게 이메일 답장을 보내는 시간이 거의 이 시간대이다. 그래서 내 이메일을 받은 사람 중에 메일을 보낸 시간을 보고 놀란 사람들이 많다.

2009년 2월에 공직에서 은퇴한 후 아내가 나에게 말했다.

"여보, 지난 10여 년 동안 당신이 일하고 기도한다고 나하고 물에도 가지 않고, 산에도 가지 않았는데 이제 은퇴했으니 어디든지 같이 좀 가요."

내가 대답했다.

"여보, 당신 말도 충분히 이해는 하지만 나는 아직 그런 곳에 갈 여유가 없어요. 나는 지금도 내 기도를 기다리는 수많은 사람들과 또 보살펴야 할 많은 사람들을 생각하면 잠을 편히 잘 수가 없어요. 당신이 그동안 잘 참아준 것은 알지만 좀 더 참아줘요."

하나님께서 우리에게 축복을 주실 때는 나와 내 가정만을 위해 사용하라고 주신 것이 아니라고 생각한다. 우리는 축복을 받은 만큼 하나님나라와 그 백성들을 위해 사용해야 한다. 축복을 받은 만큼 작은 십자가라도 져야 한다. 그래서 하나님의 축복을 받은 사람들은 사실 더 힘들고 고달픈 삶을 살아갈 수밖에 없다.

나는 은퇴한 지 2년 가까이 되지만 아직 아무 데도 놀러가지 않고, 영화나 드라마도 보지 않으면서 오직 공부하고 기도하다 새벽이 되어야 잠자리에 든다.


## 하나님의 대사를 위한 준비

하나님께서는 2000년부터 나를 급격히 변화시키기 시작했다. 1권에서 이미 언급한 바와 같이, 그해 2월에 뉴질랜드에 거주하는 얼굴도 모르는 박정미 집사라는 분과 전화를 하다가 방언을 시작했다. 그리고 박 집사를 통하여 계속 놀라운 경험을 하게 되었다. 하나님께서는 나에게 당신의 살아 계심을 확실히 알게 하셨다. 그것은 나를 중국에 '하나님의 대사'로 보내시기 위한 준비였다.

중국에 대사로 부임한 후 수많은 일들이 발생했다. 탈북자, 국군 포로, 납북자, 사형수, 수감자 등 사건 및 사고가 끊임없이 일어났고, 6자 회담으로 인하여 대표단들이 빈번히 오고 갔다. 더불어 한중 양국 관계가 폭발적으로 발전했다. 2001년 10월 내가 부임할 때 315억 불에 불과했던 양국 무역 거래량은 2007년 말에 1450억 불로, 미국과 일본과의 무역 거래량을 합한 액수에 달했다. 그리고 168만 명에 불과하던 양국 인적 교류는 478만 명으로 늘어났고, 이에 따라 한중 간 항공편도 매주 300편에서 830편으로 증가되었다. 중국에 체류하는 한국인들도 10만 명에서 60만 명으로 증가했다.

이런 상황에 대비하기 위해 하나님께서는 나를 계속 준비시키셨다. 어느 날 내 두 손을 강제적으로 들어 올리심으로 일에 대한 분별력을 갖도록 하시고, 방언에 대한 통변과 말씀을 들을 수 있는 귀를 단계적으로 열어주셨다. 그리고 어느 날은 포도주를 토하게 해서 내 몸의 체질을 바꿔버리셨다. 내 몸은 서서히 성령님에 의하여 장악되어갔다. 그렇게 나는 사람들에 대한 기대와 두려움을 버리고, 무엇이든지 성령님이 원하시는 대로 담대하게 나아갈 수 있게 되었다.


## 하나님의 종을 보내시다

2004년 8월 말 분당예수세계교회 이광섭 목사님이 급히 베이징에 왔다. 내가 무슨 일이시냐고 물었더니, 목사님은 주말에 별안간 하나님께서 베이징에 가서 김 대사님을 만나라고 하셔서 교회 일을 다른 전도사에게 맡기고 급히 왔다고 했다. 너무 급히 오다보니 비행기 표가 없어 할 수 없이 목사가 되고 나서 처음으로 비즈니스 석을 타고 왔다고 했다.

나는 이 목사님과 조용한 중국 식당으로 갔다. 자리에 앉더니 목사님은 나에게 하나님께서 주신 말씀을 전해주기 시작했다. 사실 나는 그때 여러 가지 문제에 대해 간절히 기도하고 있을 때였다. 그런데 목사님이 서울에서 내 기도에 대한 하나님의 응답을 갖고 온 것이었다. 나도 놀랐지만 이 목사님도 놀랐다. 왜냐하면 목사님은 하나님의 말씀을 갖고 오기만 했지, 내가 무슨 기도를 하고 있는지는 몰랐기 때문이다. 그래서 목사님이 이야기를 꺼낼 때마다 내가 그 문제는 이렇게 기도하고 있었다고 하면 무척 놀라워했다.

목사님의 중국 방문을 통해서 그동안 내가 기도했던 문제들의 방향이 잡혔다. 나는 그날 저녁에 무릎 꿇고 말로 표현할 수 없는 감사를 느끼면서 감사 기도를 드렸다. 하나님은 내가 간구하는 기도를 들으시고 나에게 확증시켜주시기 위해 교회 일로 바쁜 목사님을 급히 중국으로 보내주신 것이다.

아! 이런 하나님의 은혜에 어떻게 보답할 수 있을까?


사역을 위한 수로를 파다

2001년 3월에 박정미 집사가 나에게 전화를 해서 뜬금없이 이렇게 말했다.

"집사님은 앞으로 할 일이 지금보다 훨씬 많을 겁니다. 그때는 온 나라와 세계를 돌아다니며 지식인들을 깨우고 복음을 전파할 겁니다."

당시 나는 대통령 외교안보수석이었기 때문에 박 집사가 하는 말들이 의아하게 생각되었다.

내가 주중대사로 근무할 때였다. 박 집사가 또 전화를 해서 말했다.

"대사님이 언젠가 중국을 떠나고 나면 중국에서 있었던 일들을 기쁨으로 말할 것입니다. 그때 무수히 많은 사람들에게 중국에 있었을 때 이러이러한 일이 있었고, 하나님께서 이렇게 역사하셨노라고 이야기할 겁니다."

후에 이광섭 목사님이 박 전도사의 말을 확증해주었다.

"이제 대사님은 중요한 흐름을 만들어놓을 것입니다. 그것은 교회를 향한 흐름이 될 것이고, 앞으로 또렷하게 나타날 것입니다. 일종의 네트워크가 형성될 것인데, 대사님이 그 네트워크 안에서 아주 활발하게 움직이게 될 것입니다. 대사님은 앞으로 하나님을 위하여 많은 일을 하게 될 것이고, 많은 나라 기독교 지도자들과도 함께 움직이게 될 것입니다."

박 전도사와 이 목사님의 이야기는 당시에는 이해하기 어려웠다. 그러나 공직에서 은퇴한 후, 지금 내 주위에서 일어나고 있는 상황은 그들의 말과 일치한다. 하나님께서는 이미 오래 전부터 나를 새로운 길로 인도하셨다. 하나님이 나에게 대통령 외교안보수석비서관, 주중 대사 그리고 통일부 장관이라는 세상적인 직책을 주신 것은 나중에 하나님을 위한 사역을 할 때, 세상 사람들이 말하는 명예가 없으면 알아주지 않을 것이므로, 나를 높이시는 도구로 삼으신 것이다.

나는 지금까지 가난하고 어려운 하나님의 백성들도 만나고, 돈과 명예와 권력을 가진 수많은 사람들도 만나 교제하고 일했다. 이제 이 수로에 물이 밀려들어 올 시간이 되었다. 내가 생각지도 못했던 많은 일들이 강처럼 흐르고 물밀 듯이 들어올 것이고, 놀라운 일들이 도처에서 흐르는 것을 보게 될 것이다. 그리고 하나님께서 영광을 받으실 것이다.

나는 2009년 2월 11일, 통일부 장관을 끝으로 공직 생활을 마감했다. 그리고 다음 날인 12일 아침에 이렇게 기도했다.

"하나님, 지난 36년간 제가 계획한 모든 일을 인도해주셔서 감사합니다. 이제 새로운 인생의 후반부는 제가 계획하지 않을 것이니, 하나님께서 계획하신 대로 저를 인도해주십시오."

나는 그동안 맺었던 사람들과의 관계를 일단 단절하기로 결정했다. 내가 모셨던 몇 분의 상사들을 모시고 감사를 표한 다음, 모든 사람들과의 연락을 끊었다. 물론 핸드폰도 꺼버렸다. 교회 집회나 행사 그리고 아주 특별한 일을 제외하고는 내가 먼저 전화를 하거나, 만나자고 요청한 적이 거의 없다.

나는 이제 지난 64년 동안 나를 인도해오신 하나님께 감사하면서 언젠가 하나님의 계획하심에 따라 다시 활동을 하게 되더라도 오직 하나님을 의지하며 순종하리라 다짐하고 있다.

# 감사의 말

2010년은 하나님께서 나에게 허락하신 또 하나의 축복된 해였다. 먼저 《하나님의 대사》가 출간되어 25만 권이 팔려 나가면서 독자들의 폭발적인 환영을 받았다. 그리고 500여 개의 교회와 단체로부터 집회 요청을 받았다. 하나님의 은혜가 아니고서는 나에게 어떻게 이런 일이 가능하겠는가. 시간적으로나 물리적으로 그와 같은 요청을 다 수용할 수 없어서 제한적으로 집회에 참가할 수밖에 없었다. 그러나 이러한 집회를 통하여 많은 목회자 및 교인들과 접촉할 소중한 기회를 가지게 되었다.

또한 수천 통의 독자 이메일을 통해 현재 이 나라의 크리스천들이 안고 있는 고민과 어려움을 조금이나마 알게 되었다. 이런 경험들은 앞으로 하나님의 사역을 하는 데 있어 나에게 더할 수 없이 귀한 자산이 될 것이라고 믿으며 하나님께 감사드릴 뿐이다.

그리고 지난 일 년 동안 나를 위해 중보해준 수많은 분들에게 감사드린다. 다른 누구보다도 늘 옆에서 기도하며 나를 도운 아내 배영민 권사에게 고마운 마음을 전한다. 은퇴 후 2년이 다 되어 가지만 나는 아내와 함께 물이든, 산이든 간 적이 없다. 그런데도 아내는 아무런 불평도 하지 않고 나와 함께하며 모든 일에 동역하고 헌신했다. 아내는 예전에 내가 《떠오르는 용》이라는 책을 낼 때 그리고 《하나님의 대사》 1권을 쓸 때 원고를 다 정리해주었다. 이번에도 나와 함께 밤을 새워가면서 원고를 정리하고 교정을 했다. 아내의 간증을 읽으면서, 나와 결혼한 후 아내가 겪었던 어려움에 새삼 미안했지만, 그래도 묵묵히 나를 도와주는 사랑에 고마울 따름이다.

이 책의 6장 '독자들에게 보내는 편지' 부분에서 많은 조언과 도움을 준 아내의 친구 김인숙 전도사에게 감사드린다.

《하나님의 대사》 1권을 출판한 규장의 여진구 대표를 비롯한 직원들의 뜨거운 중보기도와 헌신적인 노력에 감사드린다. 그 분들의 기도와 적극적인 노력이 없었다면, 독자들로부터 지금과 같은 환영을 받기가 어려웠을지도 모른다. 그리고 다시 2권을 준비하는 동안 아낌없는 수고를 해준 김아진 실장과 최지설 팀장에게 감사한 마음이다. 한 가지 가슴 아픈 것은 그사이 규장의 편집국장이셨던 김응국 목사님이 우리 곁을 떠나셨다는 사실이다. 먼저 부르심을 받은 김응국 편집국장님을 추모하고 애도하며 천국에서 영면하시기를 기도한다.

2010년에 하나님께서 우리 가정에 사랑스러운 손녀 유진이를 선물로 주셨음을 감사드린다. 유진이도 앞으로 기도의 용사가 되어 우리들과 같은 믿음의 길을 가기를 소망한다.

# 하나님의 대사 2

| | |
|---|---|
| 초판 1쇄 발행 | 2011년 1월 24일 |
| 초판 42쇄 발행 | 2011년 6월 13일 |
| 지은이 | 김하중 |
| 펴낸이 | 여진구 |
| 책임편집 | 김아진, 최지설 |
| 편집 1실 | 안수경, 강민정, 이영주, 박민희 |
| 편집 2실 | 오은미 |
| 기획·홍보 | 이한민 |
| 책임디자인 | 이혜영, 전보영 ㅣ 이유아, 정해림 |
| 해외저작권 | 최영오 |
| 마케팅 | 김상순, 강성민, 허병용, 이기쁨 |
| 마케팅지원 | 최태형, 최영배, 이명희 |
| 제작 | 조영석, 정도봉 |
| 경영지원 | 김혜경, 김경희 |
| 이슬비전도학교 | 엄취선, 전우순, 최경식 |
| 303비전성경암송학교 | 박정숙, 정나영, 정은혜 |
| 303비전장학회 &<br>303비전꿈나무장학회 | 여운학 |
| 펴낸곳 | 규장 |

주소 137-893 서울시 서초구 양재2동 205 규장선교센터
전화 02)578-0003  팩스 02)578-7332  이메일 kyujang@kyujang.com
홈페이지 www.kyujang.com        트위터 twitter.com/_kyujang
등록일 1978.8.14. 제1-22

ⓒ 저자와의 협약 아래 인지는 생략되었습니다.
이 출판물은 저작권법에 의해 보호를 받는 저작물이므로 무단 전재와 무단 복제를 할 수 없습니다.

책값 뒤표지에 있습니다.
ISBN 978-89-6097-221-6 04230
ISBN 978-89-6097-220-9 (세트)

## 규ㅣ장ㅣ수ㅣ칙

1. 기도로 기획하고 기도로 제작한다.
2. 오직 그리스도의 성품을 사모하는 독자가 원하고 필요로 하는 책만을 출판한다.
3. 한 활자 한 문장에 온 정성을 쏟는다.
4. 성실과 정확을 생명으로 삼고 일한다.
5. 긍정적이며 적극적인 신앙과 신행일치에의 안내자의 사명을 다한다.
6. 충고와 조언을 항상 감사로 경청한다.
7. 지상목표는 문서선교에 있다.

하나님을 사랑하는 자 곧 그의 뜻대로 부르심을 입은 자들에게는 모든 것이 合力하여 善을 이루느니라(롬 8:28)

Member of the
Evangelical Christian
Publishers Association

규장은 문서를 통해 복음전파와 신앙교육에 주력하는 국제적 출판사들의
협의체인 복음주의출판협회(E.C.P.A:Evangelical Christian Publishers
Association)의 출판정신에 동참하는 회원(Associate Member)입니다.